Bonne
Lecture

LE
SUCCÈS,
ÇA
S'APPREND!

Infographie : Chantal Landry
Correction : Céline Vangheluwe

Catalogage avant publication de Bibliothèque et
Archives nationales du Québec et Bibliothèque et
Archives Canada

Milot, Stéphanie

Le succès, ça s'apprend : 9 clés pour réussir sa vie

Comprend des réf. bibliogr.

ISBN 978-2-7619-3376-6

1. Succès - Aspect psychologique. 2. Réalisation de
soi. 3. Qualité de la vie. I. Titre.

BF637.S8M442 2012   158.1
C2012-941499-9

DISTRIBUTEURS EXCLUSIFS :
Pour le Canada et les États-Unis :
MESSAGERIES ADP*
2315, rue de la Province
Longueuil, Québec J4G 1G4
Téléphone : 450-640-1237
Télécopieur : 450-674-6237
Internet : www.messageries-adp.com
* filiale du Groupe Sogides inc.,
  filiale de Québecor Média inc.
Pour la France et les autres pays :
INTERFORUM editis
Immeuble Paryseine, 3, allée de la Seine
94854 Ivry CEDEX
Téléphone : 33 (0) 1 49 59 11 56/91
Télécopieur : 33 (0) 1 49 59 11 33
Service commandes France Métropolitaine
Téléphone : 33 (0) 2 38 32 71 00
Télécopieur : 33 (0) 2 38 32 71 28
Internet : www.interforum.fr
Service commandes Export – DOM-TOM
Télécopieur : 33 (0) 2 38 32 78 86
Internet : www.interforum.fr
Courriel : cdes-export@interforum.fr
Pour la Suisse :
INTERFORUM editis SUISSE
Case postale 69 – CH 1701 Fribourg – Suisse
Téléphone : 41 (0) 26 460 80 60
Télécopieur : 41 (0) 26 460 80 68
Internet : www.interforumsuisse.ch
Courriel : office@interforumsuisse.ch
Distributeur : OLF S.A.
ZI. 3, Corminboeuf
Case postale 1061 – CH 1701 Fribourg – Suisse
Commandes :
Téléphone : 41 (0) 26 467 53 33
Télécopieur : 41 (0) 26 467 54 66
Internet : www.olf.ch
Courriel : information@olf.ch
Pour la Belgique et le Luxembourg :
INTERFORUM BENELUX S.A.
Fond Jean-Pâques, 6
B-1348 Louvain-La-Neuve
Téléphone : 32 (0) 10 42 03 20
Télécopieur : 32 (0) 10 41 20 24
Internet : www.interforum.be
Courriel : info@interforum.be

08-12

Dépôt légal : 2012
Bibliothèque et Archives nationales du Québec

ISBN 978-2-7619-3376-6

Gouvernement du Québec – Programme de crédit
d'impôt pour l'édition de livres – Gestion SODEC –
www.sodec.gouv.qc.ca

L'Éditeur bénéficie du soutien de la Société de développement des entreprises culturelles du Québec pour
son programme d'édition.

 **Conseil des Arts   Canada Council
du Canada   for the Arts**

Nous remercions le Conseil des Arts du Canada de
l'aide accordée à notre programme de publication.

Nous reconnaissons l'aide financière du gouvernement du Canada par l'entremise du Programme
d'aide au développement de l'industrie de l'édition
(PADIÉ) pour nos activités d'édition.

Stéphanie Milot

LE SUCCÈS, ÇA S'APPREND!

9 clés
pour réussir votre vie!

LES ÉDITIONS DE
L'HOMME
Une société de Québecor Média

Avant-propos

J'avais environ 10 ans lorsque j'ai commencé à m'intéresser à la psychologie humaine. Sans le savoir, ma destinée était tracée. Je me rappelle très bien avoir consolé mes petites amies lorsqu'elles vivaient des déceptions et leur avoir prodigué une multitude de conseils pour ne pas s'en faire avec la vie. Déjà, à cet âge, j'étais une positive dans l'âme.

J'ai lu mon tout premier livre sur le sujet, *Pourquoi pas le bonheur ?*, de Michèle Morgan, vers l'âge de 16 ans. Dans cet ouvrage, l'auteur mentionnait que l'on pouvait utiliser son sub-conscient pour obtenir tout ce que l'on voulait. Je découvrais que notre potentiel était très grand et j'étais décidée à l'utiliser au maximum. La vie m'a ramenée quelquefois à la réalité, mais en même temps, je savais qu'il y avait une part de vérité dans cet ouvrage. Avec du recul, je sais bien sûr qu'il ne s'agit pas de se répéter certaines phrases pour que les choses que l'on souhaite se produisent, mais ce livre m'a ouvert l'esprit à l'idée qu'on a un certain contrôle sur notre vie. J'ai par la suite lu tous les livres sur le succès, le bonheur, l'art de se dépasser, la puissance du subconscient, la pensée positive, la visualisation, etc., y découvrant chaque fois une nouvelle façon de voir les choses, la vie, le succès et le bonheur. C'est probablement ce qui m'a poussée vers la psychologie, cette science à la fois si intéressante et si complexe.

La vie m'a aussi amenée à enseigner. Chaque fois que je me retrouvais devant une classe, mon message encourageait la quête du succès, le dépassement de soi, l'art d'être heureux. Si bien que j'ai réalisé que je devais en faire ma mission de vie. Le fait de transmettre ce message serait mon succès, mon bonheur.

Depuis plusieurs années, les gens viennent me consulter parce qu'ils souhaitent mieux gérer leur vie. J'ai réalisé que, bien que chacun ait sa façon de voir les choses, ce qui est tout à fait normal, nous nous entendons tous sur un point: l'être humain veut avant tout être heureux.

Je vous livrerai dans cet ouvrage les outils que j'ai utilisés et qui ont été utiles pour moi et pour de nombreuses personnes avec qui je les ai partagés au fil des dernières années, grâce à mes conférences et à mes consultations en psychothérapie.

Je ne prétends pas détenir la vérité ni la recette infaillible pour trouver le bonheur. Je partage avec vous, tout simplement, bien humblement, ce qui a fonctionné pour moi, mais aussi le fruit de nombreuses recherches sur le sujet. Je souhaite que ce livre soit un guide précieux dans votre quête d'une vie réussie. Que vous soyez déjà heureux ou que vous cherchiez désespérément à le devenir, mon but est de vous donner des outils simples pour y parvenir. Je vous souhaite une merveilleuse lecture.

Introduction

« Qu'est-ce que ça signifie exactement, être heureux ? » Si vous aviez à expliquer ce que représente pour vous le bonheur, que diriez-vous ? Réussir professionnellement dans une carrière qu'on aime, répondront certains. Avoir accompli quelque chose qui nous tenait à cœur — fonder une famille, voyager, être épanoui —, diront d'autres. Il existe effectivement différentes façons de définir le bonheur, mais il semble qu'on puisse retrouver certaines constantes. Ainsi, on peut certainement parler d'un accomplissement heureux, et ce, dans n'importe quel domaine. Plusieurs mots évoquent le bonheur dans notre esprit : « réussite », « paix intérieure », « prospérité », « bien-être », « béatitude », etc.

Maintenant, parlons du succès ! Pour moi, le succès et le bonheur sont étroitement liés. Je n'ai jamais rencontré personne qui avait du succès dans sa vie (personnelle et professionnelle) et qui se disait malheureux. Pour moi, avoir du succès, c'est atteindre un équilibre dans les différentes sphères de la vie, pour s'épanouir.

Travailler 75 heures par semaine peut rendre certaines personnes pleinement heureuses, tandis que d'autres ne peuvent travailler plus de 35 heures si elles veulent maintenir l'équilibre entre leur vie personnelle et leurs activités professionnelles. J'ai réalisé, avec le temps, que la notion d'équilibre varie énormément selon les individus.

Quelle est votre définition du succès ? Il n'y a pas de bonne ou de mauvaise réponse. La seule bonne réponse est la vôtre !

Est-ce que tout le monde peut être heureux ? Drôle de question, penserez-vous peut-être... À une certaine époque, pourtant, on ne croyait pas que tous avaient la possibilité d'être heureux. On a longtemps pensé que certaines personnes avaient des prédispositions au bonheur, et que celles qui en étaient dépourvu étaient vouées au malheur. La réalité est que le bonheur repose en partie sur l'héritage génétique (50 %). Et les circonstances de la vie auraient une certaine influence sur notre bonheur (10 %). Il reste donc 40 % sur lesquels nous pouvons agir. Voilà qui est très intéressant, et surtout encourageant.

Comme je l'ai dit précédemment, le bonheur et le succès prennent plusieurs formes, mais, **ma définition personnelle d'une vie réussie, c'est d'être capable d'être heureux dans toutes les sphères de la vie et d'avoir le sentiment de s'accomplir chaque jour dans ce qui est important pour nous.**

Est-ce à dire qu'il n'y aura pas de jours moins heureux ou plus difficiles ? Bien sûr que non ! Notre niveau de bonheur n'est pas toujours le même. Pour différentes raisons, nous avons parfois des journées un peu moins faciles. Ce n'est pas la fin du monde. Durant ces fameuses journées, je me dis qu'hier était bien et que demain sera super ! Ce petit truc fonctionne très bien pour moi.

ANALYSEZ VOTRE NIVEAU DE SATISFACTION

En conférence, j'ai pris l'habitude de demander à mon auditoire : « Notez sur 100 votre niveau de satisfaction dans chacune des sphères de votre vie. »

Quelle sphère dois-je travailler ?					
Travail Vie professionnelle	Famille Conjoint Enfants	Finances Investissements Placements	Loisirs Amis Détente	Développement personnel Formation	Santé

Quelle note attribueriez-vous à la qualité de vos relations, à votre santé, à votre satisfaction par rapport à votre vie professionnelle, etc.

Par la suite, je demande aux gens de se poser la question suivante : « Dans quelle sphère dois-je m'investir pour augmenter mon degré de satisfaction ? » Ai-je négligé ma santé, mes relations, le temps que je m'accorde pour me ressourcer ? Que dois-je faire, concrètement, pour rectifier le tir et être plus heureux ?

J'ai remarqué que la plupart des gens heureux que je connais se questionnent souvent sur leur vie et leur niveau de satisfaction. Non pas qu'ils soient des éternels insatisfaits, bien au contraire : ils ont plutôt compris que le bonheur et le succès fluctuent au quotidien et que nous pouvons parfois, sans le vouloir ou sans nous en apercevoir, nous en éloigner. Pour différentes raisons, il arrive que nous réalisions en cours de route que nous sommes moins heureux dans une des sphères de notre vie, que nous avons délaissé certaines de nos bonnes habitudes. Il faut alors rééquilibrer le tout.

Le bonheur serait aussi dans nos gènes !

Nous avons beau être entouré d'amis, nous entraîner tous les jours ou faire du bénévolat, une partie du bonheur échappe toujours à notre contrôle. Ironiquement, certaines personnes qui ne font rien de tout cela sont bien plus heureuses que la moyenne. Il semble donc que certaines personnes soient plus douées pour le bonheur que d'autres.

Expert en génétique des populations, le chercheur David Lykken, de l'Université du Minnesota, confirme cette observation. Il s'est intéressé aux jumeaux identiques qui ont été séparés dès leur naissance. Plus d'une centaine de frères et sœurs ayant consenti à participer à ces recherches se sont ainsi retrouvés à l'âge adulte au laboratoire de Lykken.

Cette étude a permis au chercheur de démontrer qu'environ 50 % du bien-être serait inné, donc programmé dès la naissance dans le bagage génétique. En effet, la conclusion de ces recherches est assez stupéfiante : « Même si les jumeaux identiques ont grandi dans des milieux forts différents, le niveau de bien-être qu'ils éprouvent devant la vie est statistiquement le même. Ce n'est toutefois pas le cas avec les jumeaux fraternels. »

Le reste serait attribuable aux aléas de la vie. « Nous sommes tous préprogrammés à un certain degré sur l'échelle du bonheur. Nous expérimentons tous des joies et des peines, mais elles sont nuancées par nos gènes. Même après avoir gagné un important montant à la loterie, ou après avoir subi une blessure grave, on finit par regagner le niveau pour lequel on est programmé », écrivit le généticien. Toutefois, en cas d'événements très graves, comme la mort d'un proche, un viol, un abus sexuel, etc., le retour au niveau prédestiné peut prendre plusieurs années.

Cela signifie-t-il que notre propension au bonheur est programmée dès la naissance ? Ruut Veenhoven, sociologue à l'Université Érasme de Rotterdam, croit que oui : « Tout comme mon collègue américain, je pense que notre bien-être est en partie dicté par l'hérédité. On est plus ou moins heureux, comme on a les yeux bruns ou bleus. »

Selon moi, David Lykken surestime largement la contribution de la génétique. Mes recherches démontrent que le niveau de bien-être des individus n'est pas aussi stable qu'il le prétend. Il confond « bonheur » et « prédisposition au bonheur ».

Source : Adapté d'un article de Dominique Forget publié dans *Châtelaine* (octobre 2005) et du livre de Lucie Mandeville, *Le bonheur extraordinaire des gens ordinaires*.

Dans les prochaines pages, je vous présenterai neuf clés servant à se rapprocher du bonheur. On pourrait parler de stratégies, d'habitudes, de façons de faire, mais je préfère parler de « clés », parce qu'il ne s'agit pas de recettes miracles. Elles vous permettront tout simplement d'améliorer votre qualité de vie, d'avoir plus de succès et d'être plus heureux, sur les plans personnel et professionnel. Bien entendu, il faut encore les mettre en application. Je ne sais plus combien de gens m'ont dit : « J'ai lu tel ou tel livre [de développement personnel] et j'ai adoré ! » Mais, lorsque je leur demande comment ils mettent ces enseignements en application, leur réponse me fait comprendre qu'entre lire un livre et passer à l'action, il y a tout un monde.

Je vous invite à faire les exercices, à souligner des passages qui vous inspirent, et même à reprendre certaines phrases en les notant et en les gardant bien en vue pour vous les rappeler et les mettre en application. C'est, à mon avis, la seule façon de tirer le maximum d'un livre comme celui-là.

Êtes-vous prêt ?

Bonnes découvertes ! Puissiez-vous trouver les clés qui conviennent à votre vie !

CHAPITRE 1

Développez votre intelligence émotionnelle

Les gens qui réussissent leur vie ont un dénominateur commun : ils ont appris à reconnaître leurs émotions et à les maîtriser. Ils sont aussi conscients des émotions des autres et, par conséquent, peuvent mieux gérer leurs relations. Je ne dis pas qu'ils le font toujours, mais, en général, ils y arrivent. Même s'ils sont humains et qu'ils ne sont pas parfaits, ils ont compris une chose : l'art de réussir sa vie passe, entre autres, par une gestion adéquate de ses émotions et par des relations de qualité. « Réussir sa vie » pourrait vouloir dire : vivre le plus souvent possible des émotions agréables ; et le moins souvent possible des émotions désagréables !

J'ai déjà parlé, dans mes livres précédents, de l'importance de développer son intelligence émotionnelle pour être heureux. En effet, on a longtemps cru que la réussite d'un individu ne reposait que sur son quotient intellectuel (Q.I.), soit l'intelligence rationnelle, logique et mathématique.

Heureusement, au début des années 1990, le chercheur Daniel Goleman a développé le concept de l'intelligence émotionnelle. Nous savons maintenant que, pour être heureux, certaines compétences précises sont importantes, et que, contrairement à ce qu'on a longtemps cru, elles ne relèvent pas toutes de l'intelligence rationnelle, mais aussi de l'intelligence émotionnelle, dont la mesure est le quotient émotionnel (Q.É.). Le Q.I. est bien sûr important, mais il n'explique au mieux que 25 % de la réussite d'un individu. Le bonheur dépend aussi d'autres variables. Par exemple, on sait aujourd'hui qu'un individu qui réussit relativement bien dans l'ensemble des sphères de sa vie a fort probablement su développer les diverses compétences de son intelligence émotionnelle. La bonne nouvelle, c'est que l'intelligence émotionnelle peut se développer ! Contrairement au Q.I., qui demeure à peu près stable tout au long de notre vie, nous pouvons travailler à augmenter notre intelligence émotionnelle.

Dans son livre *L'intelligence émotionnelle au travail*, Daniel Goleman explique que c'est précisément dans les matières qui demandent une quantité impressionnante de connaissances (médecine, droit, sciences de l'éducation et gestion) que le Q.I. est le moins révélateur du niveau de réussite d'une personne et que l'intelligence émotionnelle devient déterminante. Il apparaît donc, d'après différentes études, que l'intelligence émotionnelle est beaucoup plus déterminante que le Q.I. pour prévoir quels étudiants de ces facultés auront le plus de succès, par exemple. Nous pouvons appliquer la même logique à notre vie personnelle. Les gens qui arrivent à bien gérer leurs émotions et leurs relations ont plus de chances d'être heureux.

L'histoire de Marie-Ève

Il y a plusieurs années j'ai rencontré Marie-Ève, graphiste dans une importante entreprise de marketing. Un jour, sa patronne lui a proposé de diriger le service et les autres graphistes. Comme cette promotion lui offrait de nombreux avantages, Marie-Ève a accepté. Évidemment, au moment de prendre sa décision, elle croyait que ce nouveau poste lui apporterait beaucoup de satisfaction. Mais, après quelques semaines, rien n'allait plus dans le service. Marie-Ève était constamment en conflit avec ses collègues. Elle avait adopté un style de gestion très rigide, presque dictatorial, et, évidemment, les autres graphistes n'acceptaient pas ces méthodes. Marie-Ève était pourtant une femme intelligente et scolarisée. Pourquoi lui était-il si difficile de diriger son personnel ? Pourquoi n'arrivait-elle pas à s'entendre avec ses pairs ? La réponse est bien simple : la flexibilité, la capacité de gérer des conflits, de les résoudre et de faire preuve d'empathie sont toutes des compétences de l'intelligence émotionnelle. Or, Marie-Ève ne les avait pas assez développées.

L'histoire de Nicole

Il y a quelques mois, ma tante Nicole a été hospitalisée à la suite d'une hémorragie. L'infirmière qui l'a prise en charge lui a dit : « Nous allons vous faire passer plusieurs examens pour nous assurer qu'il n'y a rien de grave. » Cette infirmière très gentille et très empathique avait su dire les bons mots à ma tante (qui était anxieuse à l'idée d'obtenir les résultats de ces examens), pour l'aider à gérer son stress.

Quelques semaines plus tard, lorsque ma tante s'est présentée chez son médecin pour obtenir les résultats, celui-ci lui a lancé d'un ton froid, le nez dans son dossier : « Vous savez que vous avez le cancer ? » Il n'a fait preuve d'aucune compassion.

Lorsqu'on parle d'intelligence émotionnelle, on fait référence, entre autres choses, à l'empathie, c'est-à-dire à la capacité à se mettre à la place des autres. Ce médecin, même s'il est très instruit et probablement très compétent, n'a aucune empathie. Imaginez ce que cela doit engendrer dans ses relations avec ses proches. Son comportement provoque probablement des conflits dans sa vie personnelle et professionnelle. Et les conflits sont des obstacles à une vie réussie.

L'intelligence émotionnelle, c'est tout simplement savoir utiliser intelligemment les émotions. Pour y arriver, plusieurs compétences sont nécessaires. L'intelligence émotionnelle est comme une grande boîte contenant plusieurs concepts. C'est en les précisant que nous arriverons à mieux comprendre ce qu'elle est exactement. On parle beaucoup des qualités du cœur... Mais qu'est-ce que cela signifie ?

Les psychologues John Mayer, de l'Université du New Hampshire, et Peter Salovey, de l'Université Yale, ont découvert les compétences qui composent l'intelligence émotionnelle. Ils ont aussi forgé l'expression « intelligence émotionnelle ».

Ces auteurs décrivent l'intelligence émotionnelle comme la capacité à réguler et à maîtriser ses propres sentiments et à les utiliser pour guider ses pensées et ses actes, et comprendre ceux des autres. Ces habiletés permettent d'évaluer, d'exprimer ses émotions et d'assurer un fonctionnement plus approprié de celles-ci. Par exemple, la capacité de contrôler leur intensité. Je dis souvent aux gens qui me consultent pour développer leur intelligence émotionnelle : « Vous allez sans doute continuer à éprouver à l'occasion des émotions désagréables comme la colère, l'irritation ou la culpabilité, mais elles seront moins intenses, moins fréquentes, et elles dureront moins longtemps. » Voilà ce que peut faire l'intelligence émotionnelle pour vous.

Daniel Goleman, docteur en psychologie, a été l'un des premiers à faire connaître et à enseigner le concept d'intelligence émotionnelle au Québec, qu'il définit comme étant la capacité à reconnaître ses propres sentiments et ceux des autres, à se motiver soi-même, à persévérer, à bien gérer ses émotions et ses relations humaines.

Dans *L'intelligence émotionnelle*, Goleman recense les compétences personnelles et sociales qui y sont associées. Ces deux types de compétences se divisent en quatre sous-catégories :
- conscience de soi ;
- gestion de soi ;
- conscience des autres ;
- gestion des relations.

LA CONSCIENCE DE SOI

La conscience de soi est la case départ pour toute personne qui désire développer son intelligence émotionnelle. C'est la clé! Comment pourrions-nous arriver à mieux gérer nos émotions sans être d'abord conscients de leur présence? Un individu qui a développé sa conscience de soi est en mesure d'identifier, de nommer et d'analyser les émotions qu'il ressent et d'identifier les situations, les événements et les personnes qui lui font ressentir des émotions désagréables ou agréables.

Pour être heureux, on doit entre autres être capable de ressentir des émotions agréables le plus souvent possible et de vivre des émotions désagréables le moins fréquemment possible.

La conscience de soi, c'est aussi la capacité d'utiliser son intuition pour orienter ses décisions, de reconnaître ses forces et ses limites, de tirer des leçons des expériences et de s'ouvrir à de nouvelles perspectives. Le lien entre le bonheur et la capacité de prendre de bonnes décisions est évident.

L'histoire de Marie-Luce

Il y a plusieurs années, j'ai rencontré une femme malchanceuse en amour. Les dernières relations qu'elle avait eues avaient tourné au vinaigre et elle préférait désormais rester seule plutôt que de retomber sur un « imbécile ». En parcourant ensemble l'histoire de ses amours, nous avons remarqué que, chaque fois qu'elle s'était engagée, elle savait dès le départ que ce serait un échec. Les trois derniers hommes qu'elle avait fréquentés avaient été un alcoolique, un toxicomane et un joueur compulsif. Même si elle savait que ces relations risquaient de lui attirer des problèmes, elle s'était engagée quand même, pensant que son amour allait changer l'homme dont elle était amoureuse. Quelle illusion! Chaque fois, elle avait été malheureuse. On peut presque dire qu'elle avait délibérément choisi le malheur.

Lorsqu'ils doivent faire des choix, les gens qui ont un bon jugement et une intelligence émotionnelle développée savent d'instinct que les histoires d'amour comme celles de Marie-Luce les conduiraient inévitablement au malheur. Ils choisissent donc de ne pas s'y engager.

Pour être en mesure de faire des choix qui nous conduiront au bonheur, nous devons nous poser certaines questions qui nous permettront d'identifier les **conséquences de nos décisions**.

Nos choix présents déterminent notre bonheur futur.

Finalement, la conscience de soi comprend aussi la capacité de faire preuve d'humour et de recul par rapport à une situation jugée difficile. Un individu capable de faire preuve d'assurance et de présence d'esprit dans ses rapports humains a une conscience de soi développée. De plus, la capacité à défendre ses points de vue et à prendre des risques ou des décisions saines malgré les incertitudes et la pression est aussi une composante de l'intelligence émotionnelle.

Plus on travaille à développer son intelligence émotionnelle, plus on augmente ses chances d'être heureux. On peut y arriver facilement en prenant du temps pour soi, en lisant des livres de croissance personnelle et en participant à des formations ou à des ateliers. Les expériences de vie nous permettent aussi de développer notre intelligence émotionnelle.

LA GESTION DE SOI

Quand on éprouve des émotions désagréables, on a avantage à savoir en gérer l'intensité. Il est normal de vivre des émotions ; mais c'est souvent leur intensité qui est nocive. Être irrité par une situation est normal, mais être enragé au point d'agir inadéquatement peut entraîner des conséquences négatives sur les plans physique, psychologique ou émotionnel, et cela pour la personne elle-même ou pour son entourage.

La gestion de soi comprend la capacité de maîtriser ses émotions et ses impulsions perturbatrices et déstabilisantes ; la capacité de les exprimer convenablement (apprendre à surfer au lieu de se laisser engloutir par la vague) ; de rester calme, positif ; de s'adapter facilement aux différentes situations ; de surmonter les obstacles avec souplesse ; et de progresser pour atteindre ses objectifs.

La gestion de soi peut influer directement sur notre bonheur. Plus nous diminuons l'intensité de nos émotions désagréables, plus nous ressentons le bien-être.

LA CONSCIENCE DES AUTRES

Nous ressentons tous des émotions. Il est donc important et utile, pour développer son intelligence émotionnelle, d'être conscient des émotions des autres, de chercher à comprendre ce qu'ils vivent. L'empathie nous permet de nous mettre à la place des autres pour mieux ressentir leurs émotions. Évidemment, il ne s'agit pas de pleurer ou de se mettre en colère avec eux, mais simplement de saisir ce qu'ils ressentent. La conscience des autres aide à mieux cerner leur point de vue et à s'intéresser à leurs préoccupations. Elle facilite grandement le travail d'équipe, la collaboration et l'harmonie.

Pour réussir notre vie, nous avons avantage à développer cette compétence qui nous permettra, entre autres, d'avoir de meilleures relations avec notre entourage, sur les plans personnel et professionnel.

LA GESTION DES RELATIONS

Une personne qui sait gérer ses relations est capable de guider et de motiver les autres par sa vision enthousiaste de la vie.

Elle est aussi en mesure de les soutenir, de gérer des conflits, de trouver des solutions aux désaccords et de provoquer des changements.

Les personnes qui ont développé des habiletés à communiquer efficacement, c'est-à-dire à établir des liens, à les cultiver et à les entretenir, arrivent à mieux gérer leurs relations.

Développer les compétences qui composent l'intelligence émotionnelle est le travail de toute une vie, mais il mène au bonheur. Les lectures, les formations et notre cheminement personnel (apprendre des difficultés pour atteindre la maturité émotionnelle) augmentent notre quotient émotionnel (Q.É.).

Le tableau qui suit résume les compétences qui composent l'intelligence émotionnelle.

L'intelligence émotionnelle			
(Source : Adapté de *L'intelligence émotionnelle 2*, de Daniel Goleman)			
Sphère 1 **Compétences personnelles**		**Sphère 2** **Compétences sociales**	
Intelligence intrapersonnelle, c'est-à-dire la façon dont on se gère soi-même.		Intelligence interpersonnelle, c'est-à-dire la façon dont on gère nos relations.	
Conscience de soi	Gestion de soi	Conscience des autres	Gestion des relations
Reconnaître et nommer ses émotions. Conscience de l'effet de ses émotions sur soi et sur les autres. Juste évaluation de soi : forces et limites. Ouverture. Humour et recul par rapport à soi. Capacité de tirer des leçons des expériences passées. Confiance en soi, assurance. Capacité de défendre son point de vue et de prendre des décisions.	Maîtrise de ses émotions. Contrôler ses impulsions. Transparence : honnêteté et intégrité. Adaptabilité, flexibilité (adaptation au changement). Réalisation de soi. Volonté de réussir et d'atteindre ses objectifs, de se dépasser. Initiatives. Optimisme.	Empathie : comprendre ce que l'autre vit et ressent. Reconnaître et respecter les besoins de chacun. Travail d'équipe.	Leadership : guider, motiver, inspirer et influencer positivement autrui. Persuader. Contribuer au développement des autres : soutien, *feedback*, encouragements. Provoquer des changements. Communication. Résolution de conflits.

Maintenant que vous connaissez bien le concept d'intelligence émotionnelle, il serait intéressant d'évaluer la vôtre. Dans les pages qui suivent, vous trouverez 45 questions qui vous permettront de déterminer les compétences dans lesquelles vous excellez et celles que vous auriez avantage à développer.

QUESTIONNAIRE
L'INTELLIGENCE ÉMOTIONNELLE

Évaluez votre habileté à appliquer votre intelligence émotionnelle

❖ Pour chaque énoncé, évaluez votre aptitude à employer l'habileté décrite. Avant de répondre, essayez de penser à des situations réelles où vous avez dû employer cette habileté.

Très FAIBLE aptitude : 1/10
Très FORTE aptitude : 10/10

1	Je reconnais les symptômes physiques associés aux émotions que je vis.	
2	Je me relaxe dans les situations stressantes.	
3	Je reste en contrôle lorsque je suis en colère.	
4	Je me maîtrise dans les situations qui provoquent de l'anxiété.	
5	Je me calme rapidement lorsque je suis en colère.	
6	J'associe différentes réactions physiques à différentes émotions.	
7	Je me parle pour modifier mes états émotifs.	
8	Je communique mes sentiments efficacement.	
9	Je réfléchis à mes sentiments négatifs sans en être bouleversé.	
10	Je reste calme lorsque je suis la cible de la colère des autres.	
11	Je sais quand des pensées négatives m'assaillent.	
12	Je sais quand mon dialogue intérieur est constructif.	
13	Je sais reconnaître que je suis en colère.	
14	Je sais comment interpréter les événements que je vis.	

15	Je sais quels sens j'utilise le plus (type auditif/visuel/ kinesthésique).	
16	Je sais communiquer ce que je ressens.	
17	Je sais quelle information influe sur mes interprétations.	
18	Je reconnais mes changements d'humeur.	
19	Je sais quand je me mets sur la défensive.	
20	Je sais quelle influence a mon comportement sur autrui.	
21	Je le sais, quand ce que je communique est différent de ce que je ressens.	
22	Je suis capable de me motiver (même pour une tâche ennuyeuse).	
23	Je me ressaisis rapidement après un échec.	
24	J'accomplis des tâches à long terme dans le délai prévu.	
25	Je peux dépenser beaucoup d'énergie quand j'accomplis un travail ennuyeux.	
26	J'abandonne ou je change des habitudes inefficaces.	
27	Je développe de nouveaux comportements plus productifs.	
28	Je fais suivre mes propos d'actions concrètes.	
29	Je résous les conflits.	
30	Je cherche à établir un consensus avec les autres.	
31	J'agis comme médiateur dans les conflits impliquant d'autres personnes.	
32	Je communique efficacement avec les autres.	
33	J'exprime clairement les pensées d'un groupe.	
34	J'influence les autres directement ou indirectement.	
35	Je fonde mes relations humaines sur la confiance.	
36	Lors d'un conflit au sein d'un groupe, j'arrive à en faciliter le dénouement.	
37	J'aide les autres à se sentir bien.	

38	Je donne des conseils aux autres et je les appuie, si nécessaire.
39	Je peux saisir parfaitement les sentiments exprimés par autrui.
40	Je sais reconnaître quand les autres sont bouleversés.
41	J'aide les autres à gérer leurs émotions.
42	Je démontre de l'empathie envers les autres.
43	J'engage des conversations personnelles avec les autres.
44	J'aide un groupe à gérer ses émotions dans les cas de conflits ou de difficultés.
45	Je décèle les différences entre les émotions ou sentiments des autres et leurs comportements.

❖ Quels énoncés se rapportent à quelles compétences ?

COMPÉTENCES INTRAPERSONNELLES

	Questions		Total
Conscience de soi	1 =	15 =	
	6 =	17 =	
	11 =	18 =	
	12 =	19 =	
	13 =	20 =	
	14 =	21 =	
Maîtrise des émotions	1 =	7 =	
	2 =	9 =	
	3 =	10 =	
	4 =	13 =	
	5 =	27 =	
Motivation	7 =	25 =	
	22 =	26 =	
	23 =	27 =	
	24 =	28 =	

COMPÉTENCES INTERPERSONNELLES

	Questions		Total
	8 =	34 =	
	10 =	35 =	
	16 =	36 =	
Établir	19 =	37 =	
de bonnes	20 =	38 =	
relations	29 =	39 =	
	30 =	42 =	
	31 =	43 =	
	32 =	44 =	
	33 =	45 =	
	8 =	38 =	
	10 =	39 =	
Agir comme	16 =	40 =	
guide	18 =	41 =	
	34 =	44 =	
	35 =	45 =	
	37 =		

Je vous invite ensuite à faire des liens entre vos résultats les plus faibles et les sphères de votre vie qui requièrent une amélioration. Si, par exemple, vous constatez que, dans l'ensemble des compétences interpersonnelles nécessaires à *établir de bonnes relations*, vous avez de mauvais résultats, sachez que c'est peut-être pour cette raison que vous entrez souvent en conflit avec vos proches. Et l'incapacité de maîtriser vos émotions peut être la source de votre colère ou de votre stress constant. Nous reviendrons sur ces deux émotions.

Je vous invite à refaire ce test une fois par année, pour suivre votre évolution. Ce qui est intéressant, c'est qu'on peut améliorer ses compétences si on consent à faire les efforts nécessaires. La lecture de ce livre et de tout autre ouvrage de développement personnel vous aidera d'ailleurs à augmenter votre intelligence émotionnelle.

Maintenant que vous savez quelles compétences il convient d'améliorer, il est primordial d'aborder la question des perceptions. Lorsqu'on subit une épreuve, par exemple la perte d'un emploi ou une rupture amoureuse, et qu'on arrive à en tirer quelque chose de positif, comme un apprentissage, on développe son intelligence émotionnelle.

Comment pouvons-nous espérer réussir notre vie, si nous n'apprenons pas de nos expériences ? Je me plais souvent à dire : « Les gens heureux sont aussi passés par des moments difficiles, mais ils en tirent des leçons, en ressortent grandis, et surtout ils s'arrangent pour ne pas se retrouver de nouveau dans la même situation. »

CHAPITRE 2

Changez votre perception des événements de la vie !

Connaissez-vous des personnes qui semblent toujours heureuses, et cela dans toutes les sphères de leur vie ?

Satisfaites de leur travail, épanouies dans leur vie de couple, elles jouissent souvent d'une bonne santé (lorsqu'elles ont la grippe, elles appellent cela « une petite grippette ») et maîtrisent l'art de minimiser leurs petits bobos !

Je me suis souvent posé cette question : « Ces personnes sont-elles chanceuses, tout simplement ? » Comment expliquer que, contrairement à d'autres, elles arrivent à surmonter les épreuves de la vie avec sagesse ? Il ne faut pas se leurrer, ces gens-là aussi essuient des épreuves, mais sans doute ont-ils décidé de changer leur façon de les percevoir. Ce faisant, ils se donnent la chance de se dépasser !

Inversement, pourquoi d'autres personnes semblent toujours vivre en enfer ? Pourquoi tout a l'air de les accabler ? Comment expliquer que la vie s'acharne sur elles ? Pourquoi la moindre épreuve devient une catastrophe ? Vous connaissez sûrement de telles personnes. Elles se plaignent constamment, n'aiment pas leur travail, mais n'ont pas à cœur d'améliorer leur sort. Leur vie sentimentale ne les satisfait pas non plus, mais, évidemment, ce n'est pas leur faute : c'est à cause de l'autre si tout va mal. Si elles ont des enfants, elles ont à coup sûr des problèmes avec eux. Quand elles sont malades, elles souffrent plus que les autres. En bref, rien ne va jamais bien pour elles.

Serait-il donc possible que, au moment de la naissance, un tirage au sort détermine une vie heureuse pour certains et une existence pénible et remplie d'embûches pour d'autres ? Franchement, je ne le crois pas. À mon avis, des gens se complaisent dans la position de la victime, alors que d'autres se prennent en main, indépendamment des événements.

Ainsi, le bonheur semble échapper aux gens qui vivent leur vie en victimes. Mais n'allez pas croire que je parle des réelles épreuves de la vie. La perte d'un enfant, la mort d'un proche ou un accident grave sont bien évidemment des événements qui nous submergent d'émotions négatives. Je parle plutôt de situations quotidiennes qui peuvent être fâcheuses ou désagréables, mais dont on peut tirer des leçons.

Lorsque je traverse des moments difficiles, les phrases suivantes m'aident à affronter la réalité :

1) Que puis-je apprendre de cette situation ?
2) Comment puis-je tirer parti de la situation ?
3) Quel est le bon côté de tout cela ?

Sachons que, dans la majorité des situations, si difficiles soient-elles, nous pouvons apprendre quelque chose. Parfois, l'apprentissage est douloureux et les bénéfices ne sont pas évidents, mais les épreuves nous permettent souvent de cheminer, de grandir. Repensez à certaines expériences pénibles. Avec du recul, vous avez peut-être compris que c'était la meilleure chose qui pouvait vous arriver, ou vous constatez que vous avez grandi malgré les difficultés.

N'oubliez jamais que la qualité des questions que vous vous posez détermine souvent la qualité des réponses que vous aurez.

Depuis plusieurs années, je me fais un devoir de demander aux gens qui assistent à mes conférences et aux personnes que j'accompagne en psychothérapie s'ils pensent que les événements qui se déroulent autour d'eux peuvent causer leurs émotions. Immanquablement, la majorité répond par l'affirmative.

Mais réfléchissons un peu plus en profondeur à cette question. Si ce sont les événements et les personnes qui nous causent des émotions, comment expliquer que, témoins d'un même événement, deux personnes auront des réactions différentes, voire opposées ? Évidemment, chacun juge des choses selon ses valeurs et son éducation, mais, avant tout, tous perçoivent différemment ces événements ou ces personnes. Un exemple simple illustre ce concept : deux familles veulent aller au parc d'attractions, mais soudain c'est le déluge, il pleut à boire debout ! Pour l'une des familles, c'est la catastrophe, la journée est fichue ; ils sont tristes et maussades. Par contre, dans l'autre famille, faisant contre mauvaise fortune bon cœur, on en profite pour sortir des jeux de société, des vidéos cocasses, et tous passent une très belle journée malgré le temps exécrable ! Ainsi, bien que le facteur déclencheur (la météo) soit le même pour les deux familles, c'est leur perception (idées, pensées, scénarios) de la réalité qui cause leurs émotions.

Voici un exemple percutant de l'importance et de l'impact de notre perception. Il y a quelques années, j'ai assisté à un colloque qui rassemblait environ 10 000 personnes. Un certain W. Mitchell était au nombre des conférenciers. Quand cet homme était au début de la vingtaine, il avait eu un accident de moto et avait glissé sous un camion, perforant le réservoir d'essence. L'explosion lui avait brûlé 80 % du corps, dont le visage. Pendant un an, il avait vécu dans un institut pour grands brûlés, où il avait subi plusieurs opérations et greffes, tout en réapprenant à vivre. Trois ou quatre ans plus tard, victime d'un accident d'avion, il était devenu paraplégique. Pourtant, cet homme brûlé, défiguré et handicapé était porteur d'un message : malgré tous ses malheurs, il avait décidé de continuer à vivre. Il avait même fondé une entreprise qui comptait des dizaines d'employés. Il fait maintenant le tour du monde pour prononcer des conférences, pour raconter son histoire et surtout pour dire aux gens : « Quand ça n'ira pas bien dans votre vie, pour diverses raisons, des banalités souvent, pensez à moi. Je suis paraplégique et brûlé. Pensez à moi. »

Cet homme a su faire de ces événements traumatisants un moteur pour avancer, pour vivre. Il a su changer sa perception, l'interprétation de ce qu'il a vécu. D'autres auraient mis fin à leurs jours, à leurs souffrances, mais lui en a décidé autrement. Plutôt que de se demander « Pourquoi moi ? », il s'est plutôt interrogé sur le sens de ces événements tragiques : « Avec ce qui m'est arrivé, que puis-je faire pour aider les autres ? »

Ce jour-là, je me suis dit que cet homme était l'un des plus beaux exemples de courage devant la vie. À la lumière de son expérience, je peux dire que ce ne sont pas les événements qui nous causent des émotions, mais l'interprétation que nous en faisons, le regard que nous portons sur ce qui nous arrive et sur ce qui se passe autour de nous.

SAVIEZ-VOUS QUE...

La résilience nous aide à être heureux !

1) *Je me sens tellement mieux physiquement, financièrement et mentalement ; bref, je me sens mieux sur quasiment tous les plans.*
2) *Avant, je n'appréciais pas du tout les autres comme je les apprécie aujourd'hui.*
3) *C'était une expérience magnifique.*

Qui a prononcé ces phrases, selon vous ?
La première a été énoncée par Jim Wright, ancien porte-parole de la Chambre des représentants des États-Unis, après avoir enfreint 69 fois le code de déontologie parlementaire et démissionné de son poste.

La deuxième phrase a été dite par Christopher Reeve, célèbre acteur américain aujourd'hui décédé, après avoir subi un grave accident qui l'avait laissé paraplégique.

La troisième est de Moreese Bickham, le jour de sa sortie d'une prison de Louisiane après avoir purgé une peine de 37 ans pour s'être défendu contre des membres du Ku Klux Klan qui lui avaient tiré dessus.

Longtemps, les chercheurs ont cru que les drames de notre vie avaient des conséquences ravageuses. Cette théorie est encore solidement ancrée dans nos pensées, si bien que ceux qui vivent des drames épouvantables, mais qui sont modérés dans leurs réactions, sont souvent perçus comme des extraterrestres. On les qualifie trop souvent d'êtres anormaux. Songez aux gens qui ont perdu un enfant à la suite d'un enlèvement et qui, quelques semaines plus tard, disent qu'ils pardonnent à l'assassin. On les accuse souvent d'insensibilité. Pourtant, depuis peu, des recherches montrent qu'un chagrin modéré, voire faible, face à des situations dramatiques serait un phénomène normal. Il témoignerait même d'une grande capacité de résilience, cette aptitude à surmonter certaines situations extrêmement difficiles de la vie.

En effet, plusieurs études menées auprès de personnes ayant subi de graves traumatismes démontrent que la majorité d'entre elles s'en tirent plutôt bien. Plusieurs affirment même que certaines tragédies personnelles ont donné un nouveau sens à leur vie.

Alors, pourquoi donc est-il pratiquement impossible de croire que nous pourrions être heureux si nous devenions paraplégique, si nous étions emprisonné pendant 37 ans ou si nous perdions un enfant? Tout simplement parce que les événements difficiles nous affectent moins intensément et moins longtemps que nous ne pensons. Des chercheurs l'ont confirmé: des personnes malades ou handicapées accordent en général plus de valeur à leur vie que quand ils étaient en bonne santé. Et, aux yeux d'une personne en bonne santé, pas moins de 83 états pathologiques seraient pires que la mort. Pourtant, ceux qui sont atteints de ces maladies se suicident rarement. Ce qui veut dire que la résilience apparaît souvent après tel événement tragique, et que nous avons tendance à sous-estimer notre capacité à affronter ces situations.

Source : Adapté du livre *Et si le bonheur vous tombait dessus*, Daniel Todd Gilbert.

Dès que je décide de changer ma perception, c'est-à-dire mon interprétation des événements qui m'arrivent, je ne suis plus une victime et je deviens maître de ma destinée, de mes émotions. Le pouvoir de changer votre perception est le pouvoir le plus puissant que vous possédez, car il dépend uniquement de vous !

Il est important de prendre conscience que le fait d'être heureux est souvent très relatif.

Il y a plusieurs années, j'ai voyagé dans un pays plutôt pauvre, et l'on pouvait lire dans les guides touristiques que « ces gens n'ont presque rien, mais ils sont heureux ». Et c'était vrai : leur joie de vivre était manifeste. D'ailleurs, plusieurs études confirment que l'acquisition et la possession de biens matériels ne rendent pas les gens plus heureux. Quelle leçon de vie !

SAVIEZ-VOUS QUE...

Les personnes peu matérialistes sont plus satisfaites de leur vie !

D'après plusieurs chercheurs, les gens très matérialistes seraient presque aussi heureux que les gens peu matérialistes, pour autant qu'ils aient beaucoup d'argent et que leur style de vie n'entre pas trop en conflit avec d'autres valeurs ou besoins.

Par contre, les matérialistes qui ont moins d'argent ou dont les valeurs entravent leur quête pécuniaire (par exemple, des gens qui croient les riches malhonnêtes ou que l'argent est difficile à gagner) seraient plus malheureux que les autres. La relation entre le matérialisme et nos états mentaux est complexe.

De nombreux éléments permettent d'expliquer le prix à payer dans cette poursuite de la richesse. Une importante tendance à consommer peut être nuisible si l'on néglige les choses qui favorisent le bonheur, comme les relations avec la famille et les amis.

Les recherches des psychologues E. Diener et D. Myers sur les rapports entre le bonheur et la richesse matérielle démontrent que les habitants des pays riches sont plus heureux que ceux des pays pauvres. Toutefois, à partir du moment où les gens ont suffisamment d'argent pour subvenir à leurs besoins de base, comme se nourrir et se loger, l'argent ne contribuerait pas nécessairement à augmenter leur bonheur.

Il semble donc que ni la croissance économique ni la hausse des revenus personnels n'ont beaucoup d'influence sur le bonheur des gens.

Les gens qui ont de fortes valeurs matérialistes ont tendance à poursuivre des buts qui ont peu à voir avec le bien-être, selon le psychologue Tim Kasser, auteur de *The High Price of Materialism*. Dans son livre, Kasser cite des recherches selon lesquelles les gens qui valorisent l'acquisition de biens ont des relations humaines moins satisfaisantes, une humeur plus maussade, et plus de problèmes psychologiques. Kasser distingue les valeurs extrinsèques (les possessions matérielles, l'image, le statut, l'argent et la gloire) des buts intrinsèques (le développement personnel et les contacts avec la communauté, qui sont satisfaisants en soi).

Devant cette réalité, beaucoup de gens décident d'adopter un mode de vie moins axé sur l'acquisition de biens matériels, croyant que cela favorisera leur bonheur et rendra leur vie plus sensée.

Selon d'autres recherches, les matérialistes ont très souvent des attentes irréalistes quant à ce que les biens de consommation peuvent apporter à leurs relations, à leur autonomie et à leur bonheur. Ils croient que l'accumulation de certains biens changera leur vie pour le mieux.

Comme nous vivons tous dans la même culture de consommation, comment expliquer que certains individus deviennent très matérialistes, tandis que d'autres ne le seront jamais? Dans *Developmental Psychology* (1995), des chercheurs ont mis en cause l'insécurité financière et émotionnelle. Selon eux, les adolescents qui présentaient les attitudes les plus matérialistes étaient plus pauvres et recevaient moins de marques d'affection de leur mère. En 1997, une recherche démontrait que les jeunes dont les parents s'étaient séparés avaient tendance à adopter des valeurs matérialistes plus tard dans la vie.

Source: Adapté du site de l'American Psychological Association.

Certains objecteront toutefois qu'il est difficile de changer son interprétation des événements. Ils ont raison. Cependant, est-ce plus facile de continuer à éprouver des émotions désagréables et d'entretenir des idées irréalistes qui nous font souffrir? Ce n'est pas plus facile, vous en conviendrez! Alors, pourquoi ne pas adopter des idées qui nous aident à nous sentir mieux?

Ce qui est particulièrement intéressant avec la perception, c'est qu'elle peut nous pousser à nous dépasser, et cela dans tous les aspects de notre vie. Votre travail vous stresse, les agissements d'un collègue vous frustrent, la situation d'un de vos enfants vous décourage, etc. Voilà des occasions de vous dépasser. Puisqu'il est souvent impossible de changer les événements ou les personnes en cause, il ne vous reste plus qu'à tenter de modifier vos propres perceptions. Voilà donc un gage de bonheur! Ainsi, en portant une attention particulière à vos idées et pensées, vous pourrez mieux gérer vos émotions, ce qui vous aidera à regagner votre pouvoir personnel et à être plus heureux.

J'étais étonnée et j'avais trouvé l'attitude de cet homme extraordinaire. **Ainsi, il augmentait sans doute ses chances de trouver un autre emploi. Du moins, son état d'esprit le préservait de toutes sortes d'émotions désagréables et intenses. De toute façon, que pouvait-il y faire ? General Motors avait bel et bien fermé son usine d'assemblage et cet homme acceptait la situation. C'était tout à son avantage.**

On peut appliquer cet exemple à une rupture amoureuse. Pourquoi certaines personnes sont soulagées à la suite d'une rupture, tandis que d'autres sont dévastées ? Certains se disent : « C'est la réalité, il faut que je l'accepte ! » D'autres sombrent dans la dépression pendant des mois, voire des années. J'ai rencontré des gens qui croyaient impossible de retomber amoureux un jour. Leur rupture était la fin du monde.

Alors, un événement peut-il causer des émotions si différentes **à deux personnes** ? À la lumière de ce que vous venez de lire, vous serez enclin à répondre par l'affirmative. Mais la réponse est NON !

Certains me reprendront et diront que « tout dépend du contexte ». Certes, si mon conjoint me quitte alors que je crois que notre relation va bien, je risque d'être plus dévastée que si j'avais l'impression qu'elle tirait à sa fin et ne me satisfaisait plus. Mais, souvent, dans des circonstances similaires, certaines personnes se démoralisent et d'autres trouvent le moyen de s'en sortir en considérant les choses d'un autre point de vue.

Ce n'est pas l'événement en lui-même qui est en cause, mais bien les idées qu'on s'en fait : la perception, le jugement, l'interprétation déterminent l'émotion ressentie.

Il convient alors de se poser les questions suivantes : Est-il possible de maîtriser totalement mon existence ? Puis-je changer *tous* les événements qui m'affectent ? Encore une fois, la réponse est non.

Exemples

Je suis arrêté à un feu rouge et une voiture emboutit la mienne.
Je prends l'avion et il s'écrase.
J'apprends qu'un membre de ma famille a le cancer.
Je suis victime d'un détournement d'avion en me rendant à Washington.
Mon fils est déclaré schizophrène à l'âge de 17 ans.
Un pyromane met le feu à ma résidence lorsque je suis en vacances.

Toutes ces situations sont indépendantes de ma volonté. Je n'ai d'emprise que sur l'interprétation que je fais de ces événements et sur les actes que je pose.

Exercice

Songez à une situation difficile que vous avez vécue et posez-vous cette question : **Est-ce possible que mon interprétation de cette situation, au moment où je l'ai vécue, était biaisée ?**

Décrivez la situation :

_____

_____

_____

_____

_____

Avec un peu de recul, pouvez-vous attribuer une autre signi-
fication à ce que vous avez vécu ?

_____

_____

_____

_____

_____

Exemple

*Peu après avoir postulé un emploi que je convoitais, j'ai appris que je
ne l'aurais pas et j'ai été très déçue, parce que c'était le poste idéal pour
la suite de ma carrière.*

*Avec du recul, je réalise que c'était une très bonne chose, car quelques
mois plus tard j'ai pu saisir une occasion incroyable. Depuis lors, je
travaille à mon compte et j'en suis très heureuse.*

.

CHAPITRE 3

Remettez en question vos croyances pour vous dépasser!

Se dépasser, c'est oser faire ce qui nous semblait impossible en raison de nos peurs, de nos appréhensions et de nos préjugés! C'est aller plus loin, surmonter les obstacles et gravir la montagne!

Lorsqu'on parle de nos peurs et de nos appréhensions, on arrive parfois à la conclusion qu'elles peuvent être à l'origine de certains conflits internes qui nous affligent. Qu'en est-il exactement?

LES CONFLITS INTERNES

Les conflits internes sont fréquents chez beaucoup d'individus. En voici quelques exemples.

1) Vous aimeriez pratiquer votre loisir préféré pour vous détendre, mais une voix intérieure vous dit que vous ne devriez pas, car vous avez des choses plus importantes et surtout plus productives à faire.

2) Vous souhaitez atteindre certains de vos objectifs financiers, cependant une partie de vous ne peut s'empêcher de dépenser sans compter, de sorte que vous êtes toujours sans le sou.

3) Vous aspirez à vivre une relation de couple stable et enrichissante, mais une partie de vous voit l'engagement comme une prison et vous attirez uniquement des personnes qui sont déjà engagées.

Vous pouvez, consciemment, vouloir faire des changements, mais vos croyances font perdurer vos vieux modèles de comportement. Voilà ce que représentent les conflits internes.

Si certaines de ces croyances nous limitent, il est primordial de les répertorier pour ensuite les remettre en question.

Examinons maintenant les différents types de croyances qui nous empêchent de nous dépasser.

1) Croyances portant sur les causes

Ces croyances répondent à des questions comme :
- Pourquoi ?
- Qu'est-ce qui fait que... ?

La réponse se formule avec « parce que », suivi de la croyance.

Exemples

Pourquoi ne m'aime-t-il pas à ma juste valeur ?
Parce que je ne suis pas digne d'être aimée.

Qu'est-ce qui fait qu'elle agit comme cela envers moi?
Parce qu'elle est insensible à mes besoins.

2) Croyances portant sur les significations
C'est le sens que nous attribuons à un événement.
   Elles répondent à des questions comme:
   – Qu'est-ce que cela signifie?
   – Cela veut dire quoi?

Exemples
Quand quelqu'un arrive en retard à un rendez-vous, je suis contrarié.
Qu'est-ce que ce retard signifie pour moi?
Cela signifie que cette personne ne me respecte pas.

3) Croyances portant sur les limites
Ces croyances nous renvoient à une limite qu'on croit insurmontable.
   On entend souvent des phrases telles que:
   – Je ne suis pas capable de…
   – Ce n'est pas pour moi, je n'y arriverai pas.
   – Je suis… je n'y peux rien… c'est comme ça.

Exemples
Je ne suis pas capable d'apprendre l'anglais, il n'y a rien à faire, ça ne rentre pas!
Ce métier n'est pas pour moi, c'est un métier d'homme.
Je suis vulnérable de nature, je n'y peux rien, je suis né ainsi.

4) Croyances portant sur ses capacités
Ces croyances portent sur ce que je me crois capable de faire.
Elles sont positives, dynamisantes et bénéfiques.

Exemples
Je sais que je peux terminer ce projet à temps.
Je suis certaine que je vais réussir ce cours.

Certaines croyances apparaissent clairement dans notre discours. Par exemple : « Je me crois capable de faire cela. » Mais, parfois, nos croyances sont inconscientes ou dissimulées dans notre discours. Pour découvrir nos croyances cachées, nous pouvons scruter :

1) **nos comportements ;**
2) **nos sentiments ;**
3) **le sens que nous attribuons aux événements de la vie.**

Étudions ces croyances de plus près.

1) **Questions qui ont trait à nos comportements**
   - Qu'est-ce qui m'empêche de... ?
   - Que se passerait-il si... ?
   - Qu'est-ce qui me pousse à... ?

Exemples

Je ne peux pas le quitter !
Qu'est-ce qui m'en empêche ?
Que se passerait-il si je le quittais ?
Qu'est-ce qui me pousse à rester avec lui ?

2) **Questions qui ont trait à nos sentiments**
   - Qu'est-ce que je crains ?
   - Qu'est-ce que je ressens ?
   - Qu'est-ce qui me gêne ?

Exemples

Je ne peux le quitter.
Qu'est-ce que je crains en le quittant ?
Qu'est-ce que je ressens à l'idée de le quitter ?
Qu'est-ce qui me gêne dans l'idée de le quitter ?

3) **Questions qui ont trait au sens que je donne aux événements**
   - Qu'est-ce que cela signifie pour moi ?
   - Qu'est-ce que cela montre ?
   - Qu'est-ce que cela prouve ?

Exemples

« Le nombre des mariages a diminué considérablement ces dernières années. »

Cela prouve que les enfants du divorce ont peur du mariage !

Cela montre à quel point les jeunes adultes d'aujourd'hui n'ont plus le sens des valeurs !

Vous êtes-vous déjà arrêté devant une cathédrale pour vous demander comment les hommes avaient bien pu édifier une telle merveille avec les moyens d'antan ?

C'est tout simplement parce qu'ils y croyaient. Ils avaient la conviction qu'ils pouvaient réussir.

Sachez que la plupart des gens qui échouent ou qui ne vont pas au bout de leurs rêves ont un problème de croyance. Ils se croient incapables de réaliser de grandes choses.

Supposons que vous puissiez parler à un enfant qui vient de naître et que vous lui fassiez part de tout ce qu'il devra apprendre dans la vie. Apprendre une langue, voire plus d'une s'il naît dans une famille bilingue ; apprendre à marcher, à manger, à lire, à écrire, à nager ; etc. À sa place, ne diriez-vous pas : « Je n'y arriverai jamais ! » Et pourtant, vous y êtes arrivé !

@ L'histoire de Sarah

Sarah a grandi dans un quartier défavorisé de Montréal. Ses parents vivaient de l'aide sociale, ses grands-parents aussi. Les derniers jours du mois, Sarah et sa sœur Mélissa allaient à l'école le ventre vide. Sarah avait de la difficulté à se concentrer et ses résultats scolaires étaient médiocres. Les parents attendaient toujours avec impatience le chèque du gouvernement.

Sarah m'a raconté qu'un jour elle s'est dit : « Pour moi, ce sera différent. Plus tard, j'aurai des enfants, mais jamais je ne leur imposerai une situation pareille, parce que j'ai trop souffert. Je ferai tout pour ne pas leur faire vivre cela. »

Par contre, Mélissa croyait que, puisqu'elle avait grandi dans une famille pauvre, puisque ses parents et ses grands-parents vivaient d'aide sociale, elle serait comme eux toute sa vie. C'est ce qu'elle avait toujours vu.

Cet exemple prouve bien que deux personnes qui ont grandi dans un même milieu, dans la même famille, peuvent décider de croire en des choses différentes.

Sarah croyait possible de s'en sortir un jour. Si elle y mettait les efforts nécessaires, elle ne reproduirait pas le modèle familial et ses propres enfants ne vivraient pas dans la pauvreté.

Quant à Mélissa, elle se croyait destinée à suivre la voie de ses parents. C'était ce qu'elle avait vécu, ce qu'elle avait appris. Pour elle, il était inévitable de reproduire cette misère sociale.

Aujourd'hui, 35 ans plus tard, c'est exactement ce qui s'est produit. Sarah a toujours travaillé, a occupé des emplois intéressants. Elle a eu des enfants et leur a transmis des valeurs différentes de celles que ses parents lui avaient inculquées, parce qu'elle a osé croire que sa vie serait différente. Mélissa, elle, vit de l'aide sociale. Elle a plusieurs enfants et, tous les mois, elle attend son chèque de l'État.

Par cet exemple, je ne cherche pas à dénigrer Mélissa. Je veux simplement montrer comment deux personnes qui ont reçu la même éducation peuvent décider, un jour, d'emprunter des chemins différents, d'adopter des croyances qui changeront fondamentalement leur vie.

Il y a quelques années, j'ai animé des ateliers sur les croyances limitatives et dynamisantes. Un jour, j'ai demandé aux participants de mettre par écrit leurs croyances, et certaines réponses m'ont surprise. En voici quelques-unes.

- Après 40 ans, la vie est finie.
- L'argent ne fait pas le bonheur.
- L'amitié entre un homme et une femme n'existe pas.
- On ne peut vivre le grand amour qu'une fois dans sa vie.
- Je suis né pour un petit pain.
- Les gens riches sont malheureux.
- Il faut aller à l'université pour exercer une profession intéressante.

- Je suis impuissant devant les événements de la vie.
- La dépression est héréditaire.
- À compter d'un certain âge, les cheveux longs vous donnent l'air d'une traînée.
- Les gens tatoués sont tous des criminels.
- Les gens des minorités visibles sont paresseux.
- Les personnes qui ont recours à la chirurgie esthétique sont superficielles.
- L'adultère est impardonnable et brise le couple à tous coups.
- On ne doit pas parler de sexualité devant les enfants, c'est mal.
- Les personnes économes sont en fait des égoïstes.
- Le succès professionnel n'arrive jamais avant l'âge de 50 ans.
- Mon père était alcoolique, donc je le suis.
- Les vendeurs sont tous des menteurs et sont malhonnêtes.
- Mes parents ont divorcé, je suis prédisposé à divorcer moi aussi.

Les croyances sont des idées auxquelles nous adhérons sans les remettre en question, souvent à cause d'un événement ou d'une situation qui nous les a ancrées dans la tête.

Robert avait écrit : « On ne peut vivre le grand amour qu'une fois dans sa vie. » Il avait déjà été très amoureux, une fois, et il avait la conviction qu'il n'éprouverait jamais plus ce sentiment. Certes, Robert rencontrait d'autres femmes, mais sa croyance était tellement inébranlable qu'il ne se donnait pas la chance de s'ouvrir à nouveau à l'amour.

À partir du moment où l'on parvient à identifier ses croyances, surtout celles qui nous limitent, et qu'on est capable de les remettre en question, certains aspects de notre vie peuvent changer radicalement.

⊙ L'histoire de Dorothée

À l'école, Dorothée était plutôt douée, sauf en mathématiques. Long-temps, à l'instar de bien des gens, elle a cru qu'elle était nulle dans cette matière. À son arrivée à l'université, cette croyance était si fortement ancrée en elle que, quand elle a assisté à son premier cours de finances, elle n'avait qu'une idée en tête : « Mon Dieu, je suis si nulle en mathématiques, ça va être difficile pour moi ! » Évidemment, sa croyance s'est confirmée et Dorothée a échoué à ce cours.

Toutefois, elle a pris conscience de cette croyance qui la limitait et a fini par se dire : « Non, ce n'est pas vrai. Ce n'est pas parce qu'en quatrième année j'ai eu de mauvaises notes en mathématiques que je suis irrécupérable. Je vais y consacrer les efforts nécessaires. Je ne suis pas plus bête qu'une autre. »

Finalement, quelques années plus tard, en suivant un cours de mathématiques dans le cadre de sa formation en courtage immobilier, Dorothée s'est rendu compte que cette peur des mathématiques s'était enfin volatilisée. Elle a travaillé très fort et a réussi ce cours.

Dorothée s'était dit : « Si j'y mets les efforts, je vais y arriver ! » ; « Je devrai travailler davantage que les étudiants doués en mathématiques, mais je peux réussir ! » Voilà des phrases réalistes qui ont sûrement contribué à ses succès.

⊙ L'histoire de Patrick

Ce jeune homme de 18 ans, que j'ai rencontré dans un centre communautaire, avait la conviction qu'à 60 ans la vie est finie. En l'interrogeant pour savoir ce qui lui faisait croire une telle chose, j'ai appris que son grand-père vivait avec ses parents et lui. Depuis qu'il avait 60 ans, le grand-père restait assis dans son fauteuil. Toute la journée, il regardait la télévision. Il avait l'air d'un homme excessivement malheureux. Voilà d'où venait la croyance limitative de Patrick. Il fallait rapidement la remettre en question.

Comme nous étions en pleine réunion, j'ai demandé aux participants s'ils connaissaient des gens de plus de 60 ans qui étaient encore très actifs, semblaient heureux et ne passaient pas leurs journées devant la télé. Plusieurs amis de Patrick sont alors intervenus. « Mon grand-père a 72 ans, il a couru un marathon dernièrement. » « Ma grand-mère fait du bénévolat. » « La mienne a 68 ans, elle est en grande forme et s'entraîne deux fois par semaine. »

Le but était de détruire la croyance de Patrick, de mettre en question l'idée qu'il se faisait des gens de 60 ans et plus. Le danger de croire à de telles idées, c'est de les reproduire. Si Patrick passait sa vie à penser que l'existence n'a plus aucune valeur après 60 ans, il risquerait fort de sombrer dans une terrible dépression à la fin de la cinquantaine ! Les gens comme lui doivent savoir que, dans la réalité, la majorité des personnes de plus de 60 ans se portent bien et ont une vie bien remplie.

Pour se défaire de ses croyances, il faut se référer à des exemples autour de soi.

La plupart des jeunes des foyers communautaires où j'interviens proviennent de familles éclatées. La plupart ont vu leurs parents s'entredéchirer, et souvent ils croient que l'amour sincère et profond entre deux personnes n'existe pas. Parce que ce modèle n'existe pas dans leur famille. Dans ce cas, ils doivent rechercher dans leur entourage des parents, des amis, des couples qui ont l'air heureux, qui semblent vivre harmonieusement et grâce auxquels ils peuvent croire l'amour possible. Même s'il n'y a qu'un seul exemple autour de soi, il faut s'y raccrocher. Cela permet de croire que c'est possible et l'on peut se dire : « Si eux peuvent le faire, moi aussi j'en suis capable si je le désire ! »

© L'histoire de Roger Bannister

Pendant de nombreuses années, le monde de l'athlétisme a cru qu'il était impossible de courir le mille (1609,34 m) en moins de 4 minutes. Toutefois, sir Roger Bannister a réalisé l'exploit (3 min 59,4 sec) en 1954. Quand on lui a demandé comment il avait pu réaliser un tel exploit, il a répondu qu'au cours de son année de préparation, tout en s'entraînant physiquement, il s'était imaginé en train de battre le record. Et c'est ce qui est arrivé.

L'année suivante, d'autres coureurs ont réussi à franchir le mille en moins de quatre minutes, et encore davantage deux ans plus tard. Que s'était-il donc passé? En fait, beaucoup d'athlètes ont compris que c'était possible. Certains ont pu se dire : «Je m'entraîne aussi fort que lui tous les jours, je mange à peu près la même chose que lui. S'il est capable de le faire, pourquoi pas moi?»

Dès que l'être humain croit que quelque chose est possible, souvent il y parvient. C'est ce qu'on appelle le pouvoir des croyances dynamisantes.

Encore une fois, à la lumière de ces exemples, on comprend que chacun possède en lui des croyances dynamisantes qu'il doit entretenir, mais que d'autres croyances limitatives font en sorte qu'on se pense incapable de réussir certaines choses.

Voici des exemples de croyances dynamisantes à cultiver :

«J'ai la conviction que, quoi qu'il arrive dans la vie, je serai toujours capable de trouver des solutions. »

«J'ai la conviction que je réussis tout ce que j'entreprends! »

«J'ai la conviction qu'on peut trouver l'amour à tout âge. »

«Je sais qu'il y a une solution à chaque problème. »

«Je transforme en or tout ce que je touche. »

Quelles belles croyances dynamisantes!
Si vous croyez que, quoi qu'il arrive, vous trouverez toujours le moyen d'être heureux, c'est probablement ce qui se produira.

Réussir sa vie, c'est quelque chose qu'on peut décider!

LE POUVOIR DE LA CONVICTION

Vous connaissez déjà la définition d'une croyance. Sachez que la conviction est encore plus puissante. Les convictions nous poussent à agir en raison de l'intensité émotive qu'on y associe.

Certaines personnes aux convictions solidement ancrées peuvent se mettre en colère si on les contredit à ce propos. Voici les deux étapes qui permettent de transformer une croyance en conviction.

1) Choisissez une de vos croyances de base.
2) Renforcez-la à l'aide de nouvelles références plus puissantes.

Exemple

Normand croit qu'il y aura toujours du travail pour lui à un endroit ou à un autre.

Parce que Normand entretient cette idée, il s'inquiète peu de la fermeture éventuelle de son usine, contrairement à la majorité de ses collègues.

Pour transformer cette croyance en conviction, Normand aura besoin de références puissantes qui lui confirmeront qu'il a raison de croire cela. Par exemple, il pourrait se dire : « J'ai toujours travaillé et je n'ai jamais eu de mal à me trouver un emploi. Je possède plusieurs aptitudes que je n'ai pas l'occasion d'exploiter actuellement, mais que je pourrais exploiter ailleurs. De toute façon, je serais même prêt à recommencer au bas de l'échelle s'il le fallait, car je sais que, une fois embauché, quelques mois me suffiront pour faire mes preuves et accéder à un poste plus intéressant. »

Bref, en étayant les preuves qui le confortent dans sa croyance, Normand sera encore plus convaincu d'avoir raison. Sa croyance devenue conviction le pousserait à agir adéquatement si son entreprise fermait ses portes, ce qui lui épargnerait des inquiétudes inutiles.

Dans *L'éveil de votre puissance intérieure*, Anthony Robbins relate un fait très intéressant et surprenant :

> Le pouvoir des convictions a été démontré par des études portant sur des patients aux multiples personnalités. En raison de l'intensité de leurs croyances et de la conviction qu'ils sont devenus quelqu'un d'autre, leur cerveau déclenche des réactions physiologiques différentes. Ces réactions sont quantifiables et ont des conséquences étonnantes. Leurs yeux changent de couleur, des cicatrices ou des taches de naissance disparaissent et réapparaissent, et même des maladies telles que le diabète ou l'hypertension artérielle se résorbent, puis se manifestent de nouveau. Tout cela découle de la manifestation des croyances du patient et du fait qu'il est profondément convaincu d'être quelqu'un d'autre.

À un niveau moins sensationnel, mais tout aussi important, quelles transformations se sont produites dans votre vie lorsque vous avez modifié une croyance ?

Vous trouverez un outil fort intéressant à la fin de ce chapitre pour vous exercer à transformer vos croyances en convictions.

COMMENT BRISER VOS CROYANCES LIMITATIVES

Pour briser une croyance limitative, vous aurez à vous poser diverses questions.

- En quoi cette croyance est-elle ridicule ?
- Si je ne me débarrasse pas de cette croyance, quel prix devrai-je payer ?
- Quelles conséquences assumeront les gens qui m'entourent ?
- Cette croyance peut-elle affecter mes relations, si je ne l'abandonne pas ?

- La personne qui m'a inculqué cette croyance avait-elle le meilleur modèle de comportement ?
- Puis-je prouver hors de tout doute que ce que j'affirme est vrai ?
- Existe-t-il des arguments contradictoires ?

Par exemple, si Maryse croit que la dépression est héréditaire, et si sa mère a souffert de dépression à plusieurs reprises, Maryse risque à son tour de devenir dépressive. Quand elle traversera des moments difficiles, elle se laissera peut-être envahir par des sentiments négatifs, à cause de sa croyance.

Il importe, dans un tel cas, d'anéantir cette croyance au plus vite. Pour ce faire, il faut se poser les questions suivantes :

- En quoi cette croyance est-elle ridicule ?
- Puis-je prouver hors de tout doute que la dépression est réellement héréditaire ?
- Est-il possible que certaines personnes ne deviennent jamais dépressives, même si leurs parents l'étaient ?
- Comment puis-je prouver que ce que j'affirme est vrai [que la dépression est héréditaire] ?
- Puis-je trouver des preuves du contraire ?

Voilà des questions qui permettront à Maryse de remettre en question ses croyances limitatives et de s'en débarrasser.

Répertoriez à votre tour les croyances qui vous nuisent et remettez-les en question. Soyez attentif aux changements qui se produiront dans votre vie.

Exercice

1) Identifiez une de vos croyances dynamisantes que vous voulez transformer en conviction.

Croyance : _____

Pour transformer cette croyance en conviction, vous devez la renforcer par de nouvelles références puissantes.

Références : _____

_____

_____

_____

_____

_____

_____

2) Identifiez une de vos croyances limitatives dont vous voulez vous débarrasser.

Croyance : _____

Questions à se poser pour remettre en question une croyance limitative :

En quoi cette croyance est-elle ridicule ou absurde ?

_____

_____

Que peut-il arriver si je n'abandonne pas cette croyance ?

_____

_____

Cette croyance peut-elle affecter mes relations, si je ne l'abandonne pas ?

_____

_____

Quel prix paieront mes proches si je ne renonce pas à cette croyance ?

_____

_____

Quelles conséquences devrai-je assumer si je conserve cette croyance ?

_____

_____

_____

CHAPITRE 4

Relativisez !

Vous arrive-t-il de faire des montagnes avec des riens, d'exagérer vos problèmes ? Si oui, sachez que cette habitude de dramatiser est une grande entrave au bonheur et au succès. Cette réflexion vous donnera l'occasion de découvrir des choses intéressantes !

Voici un exemple démontrant à quel point certaines personnes sont promptes à dramatiser.

Un matin, alors que je déjeunais paisiblement au restaurant, la serveuse a servi à ma voisine des saucisses plutôt que du bacon, et la crise a éclaté. Outrée, la cliente disait qu'il était impossible de se faire servir correctement dans ce restaurant, que la serveuse était incompétente. On aurait dit que la fin du monde était arrivée ! Pourtant, c'était un incident banal — de la saucisse au lieu du bacon ! —, mais la situation a dégénéré rapidement. Le grain de sable est devenu une grosse montagne ! Il aurait été beaucoup plus avantageux pour la cliente de faire part poliment à la serveuse de ce petit problème. Après tout, l'erreur est humaine ! Et il est irréaliste de s'attendre à ce que tout soit toujours parfait dans la vie. Par contre, nous ne savons pas ce que cette cliente a vécu précédemment. Était-ce la dixième fois qu'on lui servait de la saucisse plutôt que du bacon? Allons savoir! Toutefois, ce que cette dame ne sait peut-être pas, c'est qu'en se laissant glisser dans l'émotion avec autant d'intensité, c'est à sa propre santé qu'elle nuit! Et à son propre bonheur!

Plusieurs études démontrent que les personnes colériques et stressées sont plus sujettes aux infarctus et à quelques autres maladies. Ainsi, afin d'être le plus heureux possible et en meilleure santé, nous avons intérêt à éviter ces émotions désagréables.

Est-il raisonnable qu'un simple pépin gâche une journée magnifique?

Il est important de savoir que, quand nous nous fâchons, nous puisons dans notre réserve d'énergie! Pire encore : il est prouvé que lorsque nous ressentons intensément des émotions négatives (stress, colère, etc.), nous diminuons la résistance de notre système immunitaire. Donc, en apprenant à relativiser les choses et les événements, nous pouvons nous sentir mieux presque instantanément.

En nous posant les bonnes questions, nous apprenons à voir la réalité telle qu'elle est, au lieu de tout pousser au noir. En voyant les choses plus réalistement, il est possible, par la suite, de passer à l'action d'une manière plus appropriée. Tant et aussi longtemps que nous nous apitoyons sur notre sort et que nous voyons le mauvais côté des choses, nous réduisons notre capacité à penser clairement et à trouver des solutions aux situations déplaisantes. Lorsqu'on dramatise, c'est comme si on s'enfonçait la tête sous l'eau, alors qu'en relativisant on respire plus aisément et on y voit plus clair. Plus nous entretenons des idées négatives, plus nous les attirons dans notre vie. C'est ce que nous appelons, en psychologie, le phénomène d'inhibition latérale, par lequel certaines idées s'amplifient dans le subconscient. Plus j'insiste sur le négatif dans ma vie, plus j'augmente mes chances de m'attirer du négatif. C'est un cercle vicieux.

D'abord, demandons-nous si ce qui nous arrive est aussi catastrophique que nous le croyons. Ne sommes-nous pas en train d'exagérer les choses ? La plupart du temps, c'est ce que nous faisons. Je me plais souvent à dire que :

- 95 % des scénarios qu'on échafaude ne se produisent jamais ;
- 95 % des choses qu'on appréhende n'arrivent pas.

Autrement dit, si vous repensez à toutes les fois où vous vous êtes fait du mauvais sang pour une raison quelconque, sachez que la plupart du temps c'était de l'énergie gaspillée.

@ L'histoire de Paul

J'ai rencontré Paul il y a plusieurs années, lors d'une conférence que je donnais dans le milieu de la santé. Paul m'a avoué qu'il n'avait pas le bonheur facile. Chaque jour de sa vie, disait-il, il s'en faisait pour quelque chose. Tout lui causait de l'anxiété — la météo, les bouchons de circulation, l'argent, son travail. Bref, tout était toujours la fin du monde pour lui.

Cela dit, Paul avait l'habitude d'exagérer l'importance de la moindre chose. Par exemple, si on lui confiait une nouvelle tâche au bureau, il se mettait à se faire du souci, à mal dormir, à ruminer ses pensées. Certain qu'il n'arriverait pas à accomplir son travail, il imaginait des scénarios catastrophiques. Il voyait déjà son patron qui fulminait, qui l'engueulait et le mettait à la porte, etc.

La vie de Paul était devenue un enfer. Il avait même parfois des idées noires, tellement il souffrait.

Un an passa et un jour mon téléphone sonna. C'était Paul. Il désirait me voir en consultation. Pendant notre rencontre, il me confia qu'il avait eu un très grave accident de voiture quelques jours seulement après notre première rencontre. Il avait été dans le coma pendant quatre jours, puis hospitalisé pendant trois mois pour réapprendre à marcher. Sa vie avait basculé mais, à ma grande surprise, Paul me dit : « Quelle chance, cet accident ! Depuis que je suis sorti du coma, je ne vois plus la vie de la même façon. Je ne suis plus inquiet. J'ai appris dans cette épreuve à relativiser. J'ai réalisé que j'aurais pu rester paralysé ou même mourir. Dès lors, j'ai décidé de ne plus m'en faire. J'ai commencé à changer ma perception des événements que je vivais. J'ai commencé à me dire : Paul, ce n'est pas si grave que ça. Incroyable, n'est-ce pas ? »

Très souvent, lorsque des individus sont durement éprouvés, ils changent leur façon de voir la vie. Ils modifient leur perception des choses.

Mais je vous pose la question : Pourquoi attendre un événement si grave ? Si l'événement qui nous arrive est réellement frustrant et que nous ne disposons d'aucun moyen de l'éviter, il vaut mieux l'accepter. Plus nous arrivons à l'accepter rapidement, plus nous parvenons à reprendre le contrôle de notre vie, dans un état d'âme plus approprié. Plus nous cultivons l'acceptation de certaines situations inéluctables, plus nous nous rapprochons du bonheur et d'un état de paix intérieure.

Vous ne serez peut-être pas capable d'être heureux et de sourire pendant les moments difficiles, mais au moins vous n'aggraverez pas la situation en entretenant des idées complètement irréalistes.

Nous entendons souvent des gens dire : « Mon Dieu, ma vie est une catastrophe, tout va mal ! » Mais certaines personnes ont tendance à se focaliser sur ce qui va mal, à proclamer que TOUT va mal, alors que, la plupart du temps, beaucoup de choses vont bien dans leur vie. En fait, nous ne prenons plus conscience de ce qui va bien, parce que, être en bonne santé, par exemple, cela va de soi pour plusieurs d'entre nous.

Souvent, nous nous demandons pourquoi nous sommes déprimés. Comment peut-il en être autrement, quand nous affirmons que TOUT va mal, alors que ce n'est pas vrai ? Lorsque vous avez l'impression que tout va mal, dressez par écrit la liste des choses qui vont bien (votre santé, la famille) et de ce que vous appréciez dans votre vie. Dans une autre colonne, écrivez ce qui va réellement mal, puis comparez les deux listes. Vous constaterez que TOUT ne va pas si mal que cela.

Je vous invite à faire le petit exercice suivant :
Qu'est-ce qui va bien dans ma vie ?

_____

_____

_____

_____

Que pourrais-je améliorer ?

Travail Vie profes- sionnelle	Famille Conjoint Enfants	Finances Investis- sements Placements	Loisirs Amis Détente	Dévelop- pement personnel Formation	Santé

_____

_____

_____

_____

_____

_____

Pour dédramatiser, posez-vous les trois questions suivantes :
1) Ai-je la meilleure attitude pour faire face à cette situation ?
2) Est-ce vrai que je vis un enfer ? Est-ce vraiment la fin du monde ? (C'est souvent ce qu'on croit quand on est découragé.)

3) Qu'est-ce qui aurait pu arriver de pire ?

Il est vrai qu'il n'est pas agréable d'être pris dans un bouchon de circulation, mais est-ce vraiment l'enfer ?

Il est vrai qu'il est désagréable de recevoir une contravention, mais est-ce réellement la fin du monde ?

Il est vrai qu'il est fâcheux de se faire injurier, mais est-ce réellement l'enfer ?

Ces trois questions permettent de relativiser les situations.

Et rappelez-vous toujours cette maxime :

> *« C'est en se posant les bonnes questions qu'on obtient*
> *les bonnes réponses. »*

L'exercice suivant s'appelle « L'échelle de la catastrophe ». Il vous aidera à relativiser les événements de votre quotidien, à éviter qu'ils ne prennent inutilement des proportions catastrophiques. De plus, en vous posant les questions proposées, vous diminuerez l'intensité de vos émotions désagréables, ce qui vous permettra de vous dominer. Vous arriverez à surfer sur la vague, plutôt que de vous laisser engloutir !

Évidemment, cet exercice est à proscrire, vous en conviendrez, si votre vie est bouleversée par des événements réellement graves. Par exemple, si un homme perd ses trois enfants et sa femme dans un incendie, nous n'irons pas lui demander ce qui aurait pu arriver de pire !

L'ÉCHELLE DE LA CATASTROPHE

Relatez un événement récent que vous avez tenu pour catastrophique, où vous avez dramatisé.

_____

_____

_____

Sur une échelle de 0 à 10, évaluez la gravité de l'événement. (0 = Pas grave du tout; 10 = Catastrophique.)

| 0 | 5 | 10 |

Ensuite, demandez-vous ce qui aurait pu arriver de pire !

_____

_____

_____

Pire encore !

_____

_____

_____

Faites cet exercice jusqu'à ce que vous arriviez à voir l'événement dans sa juste perspective. Ainsi, vous serez en mesure d'agir plus adéquatement.

Maintenant, en comparant avec ce qui pourrait vous arriver de pire, évaluez de nouveau l'événement premier sur l'échelle de la catastrophe.

| 0 | 5 | 10 |

Quels événements de ma vie ai-je dramatisés sur le coup, mais qui, avec du recul, me semblent aujourd'hui moins graves ?

_____

_____

_____

Seligman explique qu'il est important de se réserver des moments agréables en utilisant nos forces et nos talents.

Les pessimistes ont plus de mal à voir le verre à demi plein, ce qui peut diminuer leur satisfaction et les amener à se centrer sur leurs malchances et ennuis.

Seligman suggère de cultiver la reconnaissance dans nos vies. Selon les recherches, cela contribuerait à augmenter notre satisfaction. Il nous conseille de noter chaque jour trois choses qui nous arrivent et qui sont comme des bienfaits. Éventuellement, explique-t-il, il nous sera de plus en plus facile de voir le beau côté de la vie, et plus difficile de sous-estimer notre propre contribution aux événements.

Source : Adapté du site Psychomédia et de *Authentic Happiness* de Martin Seligman.

CHAPITRE 5

Choisissez
vos batailles

Au fil de mes recherches lors de la rédaction de ce livre, j'ai remarqué que les gens heureux choisissent leurs batailles.

Comment espérer trouver l'équilibre dans sa vie, quand on se met en colère pour un oui ou pour un non?

J'adore cette expression : Choisis tes batailles. Je me la répète souvent, surtout lorsque je sens que je pourrais m'emporter pour une banalité.

Il est tout aussi facile de dramatiser les événements du quotidien que de tomber dans des excès de colère. Pourquoi? Tout simplement parce qu'il y a, en chacun de nous, une partie qui prend plaisir à ce que les gens se conforment à ce que nous croyons être bien et correct. Cette partie peut être plus ou moins présente, et cela peut varier en fonction du contexte.

En effet, certaines personnes ont des principes auxquels elles tiennent fortement quant à leur travail, leur conjoint, leurs enfants et la famille, etc. Quand leurs principes ne sont pas respectés, elles en sont agacées (et l'agacement est une émotion de la même famille que la colère). Nous devons connaître les idées responsables de la colère et savoir comment les modifier. Les gens qui croient ne jamais ressentir de la colère n'ont qu'à porter attention aux idées associées à ce sentiment. Parfois, certaines personnes ne sont tout simplement pas conscientes que l'émotion qu'elles ressentent est de la colère. Ce sont les idées entretenues qui nous permettent d'en conclure ainsi. Il est fréquent d'entendre « je suis triste », alors qu'au fond, en fonction des idées entretenues, la réelle émotion est la colère.

La majorité des gens croient la colère libératrice. Cette croyance, fausse, est attribuable au fait qu'une décharge d'adrénaline accompagne toujours la colère. Cette adrénaline représente une grande quantité d'énergie qu'on doit absolument évacuer, d'où le besoin d'adopter des comportements brusques. Après coup, on éprouve une sensation de libération, mais le tort est fait, puisque l'adrénaline libérée dans le sang est néfaste pour la santé. De plus, l'extériorisation de la colère nous mène souvent à adopter des comportements inadéquats. Nous pouvons alors dire des choses qui dépassent notre pensée ou poser des gestes que nous nous reprocherons par la suite.

Le fait de se laisser aller à la colère dans un environnement contrôlé (crier seul, donner des coups dans un sac d'entraînement, etc.) permet de libérer l'adrénaline et peut, d'une certaine façon, être bénéfique, mais la plupart du temps ce n'est pas ce qui se produit. Nous nous laissons plutôt aller à nos excès de colère devant les personnes de notre entourage.

La colère se manifeste lorsque nous entretenons les idées spécifiques suivantes :

- Cette personne n'aurait pas dû agir ainsi.
- Cette personne aurait dû agir autrement.
- Cette personne n'a pas le droit de faire ce qu'elle fait.

Il est possible que vous employiez des mots différents, mais la pensée de fond sera la même chaque fois que vous éprouverez de la colère, et cela, peu importe qui vous êtes !

Quand nous sommes en colère, nous croyons (à tort ou à raison) que l'autre devrait se comporter autrement. Mais, si nous y réfléchissons bien, est-il réaliste de penser que l'autre doive absolument agir selon nos désirs ? Qui sommes-nous pour avoir de telles exigences ? Prenons un exemple concret : Jean est en colère contre son collègue qui n'est pas en mesure de lui remettre ce matin le document promis. Jean pense que son collègue aurait dû rester plus tard au bureau, la veille, pour terminer son travail. Plus Jean rumine cette idée, plus la colère monte en lui, si bien que, lorsque son collègue arrive, il se met à l'injurier.

Jean a-t-il atteint son objectif en agissant de la sorte ? Favorise-t-il de bonnes relations professionnelles avec son collègue ? Se fait-il du bien en s'emportant ? Évidemment, NON.

N'oubliez jamais que, lorsque vous vous laissez emporter par de violentes émotions négatives, vous puisez directement dans votre énergie. Vous diminuez votre capacité à réagir adéquatement, car vous n'arrivez plus à être objectif. Vous êtes submergé par vos émotions.

Dans une pareille situation, vous avez avantage à vous poser les bonnes questions, celles qui vous aideront à modifier vos idées irréalistes.

Voici les questions que Jean aurait dû se poser :

- Est-il vrai que mon collègue aurait dû rester au bureau hier soir pour terminer son travail ?
- Y a-t-il une loi qui l'obligeait à rester au bureau pour terminer son travail ?
- Qui suis-je pour exiger de mon collègue qu'il agisse selon mes désirs ?

Ainsi, Jean aurait sûrement pu atténuer quelque peu sa colère. Par conséquent, il aurait pu discuter avec son collègue pour clarifier la situation. Il aurait ainsi augmenté ses chances d'atteindre son objectif et préservé leurs bonnes relations de travail. Finalement, Jean n'aurait pas utilisé son énergie de manière négative, mais de manière constructive.

J'en entends déjà certains objecter que c'est plus facile à dire qu'à faire ! Qui a dit que c'est facile ? Je ne prétends pas que c'est simple ; je dis simplement qu'il est fort utile de se poser les bonnes questions. Essayez ! Vous n'avez rien à perdre.

Bien évidemment, cela n'implique pas que vous soyez toujours d'accord avec le comportement d'autrui, mais, au moins, si vous maîtrisez votre colère, vous serez en mesure de régler sereinement de nombreux problèmes. Vous serez donc beaucoup plus crédible !

Je vous invite à expérimenter cette technique au cours des sept prochaines journées. Quand une personne de votre entourage agira contrairement à vos attentes, posez-vous les trois questions suivantes :

- Est-il vrai qu'elle aurait dû agir différemment ?
- Existe-t-il une loi qui lui interdit d'agir comme elle l'a fait ?
- Qui suis-je pour exiger que cette personne agisse selon mes désirs ?

Pourquoi, me direz-vous ? Parce qu'on ne peut espérer de bons résultats sur les plans émotif et comportemental que si l'on applique ce que l'on apprend. Or, une grande majorité de gens ont lu une multitude de livres en pensant que c'était plein de bon sens, mais ils n'en ont pas appliqué les principes. Aussi bien jeter son argent par la fenêtre !

Vous devez donc mettre en pratique cette méthode, c'est la seule façon d'obtenir de bons résultats. C'est par l'expérience concrète qu'on intègre les apprentissages. Ainsi, vous pourrez développer votre intelligence émotionnelle et vous en faire une seconde nature. N'oubliez pas que le bonheur, c'est aussi une question de relations humaines harmonieuses, et le fait de gérer sa colère et d'agir convenablement envers les autres améliore grandement la qualité de nos relations.

L'attitude souhaitable, ou l'option à choisir devant la colère, c'est l'acceptation.

Lorsque vous êtes en mesure d'accepter les situations que vous ne pouvez modifier, vous êtes nécessairement dans un état beaucoup plus agréable, positif et favorable que si vous laissiez libre cours à la colère. Cela dit, sachez qu'« accepter » ne veut pas dire « être d'accord ».

ⓒ L'histoire de Mireille

Mireille avait beaucoup de problèmes avec sa belle-mère qui, selon elle, essayait de contrôler sa vie, son mari et, évidemment, sa manière d'élever sa fille. Mireille répétait sans cesse que sa belle-mère ne devait pas s'ingérer dans leur vie ni lui dire quoi penser et quoi faire. Elle était donc toujours en colère contre sa belle-mère et n'avait plus envie de la fréquenter, ni même d'entendre parler d'elle.

En outre, la belle-mère était souvent un sujet de conflit entre Mireille et son mari. Ce dernier lui disait : « Écoute, c'est ma mère. On n'a pas vraiment le choix. Je voudrai toujours la voir, donc tu as intérêt à accepter la situation. C'est ça, la réalité ! »

Pour tenter de régler le problème, Mireille a d'abord couché sur papier toutes les idées qui lui venaient à l'esprit relativement à sa belle-mère. Et puis, lors d'une consultation, elle m'a dit : « En fin de semaine, on est allés manger chez ma belle-mère. Elle a commencé à me dire que je devais être plus sévère avec ma fille, lui mettre plus de limites, etc. » Mireille était en furie. Je lui ai alors demandé de me montrer la liste des idées qu'elle avait dressée avant notre rencontre. Évidemment, on y lisait des phrases comme : « Elle devrait se mêler de ses affaires » ; « Elle n'a pas à me dire comment élever ma fille » ; « Pour qui se prend-elle ? » ; etc.

Mireille et moi avons examiné ces idées une à une. Lorsque sa belle-mère se mêlait de ce que Mireille considérait comme son champ de compétences, elle ne parvenait plus à lui parler calmement. Ainsi, lors du fameux week-end, elle s'était levée en plein milieu du repas et lui avait lancé : « Là, ça suffit ! Je ne suis plus capable de vous entendre ! » Et elle était partie en claquant la porte, abandonnant son mari et sa fille. Évidemment, elle avait fui avec toutes ses émotions sous le bras, ressentant un malaise évident. La colère de Mireille atteignait une intensité de 10 sur 10 sur l'échelle des émotions.

Il fallait d'abord se demander si réellement la belle-mère de Mireille n'avait pas le droit d'agir comme elle le faisait, si elle n'avait pas le droit de la conseiller. Pour ce faire, il fallait déterminer les motivations de la belle-mère. C'est ainsi que Mireille a dû répondre à la question suivante : « Y a-t-il une loi qui interdit à ma belle-mère de me donner des conseils ? » Bien sûr que non. Toutefois, plus la belle-mère s'interposait, plus elle attisait la colère de Mireille. Puis, quand Mireille a admis que sa belle-mère avait parfaitement le droit de la conseiller, même si cela ne lui plaisait pas, elle a compris qu'elle ne gagnait rien à se mettre en colère. Il lui fallait agir d'une autre manière pour faire comprendre son point de vue à sa belle-mère.

Dès que Mireille a réussi à atténuer sa colère, elle a pu discuter avec sa belle-mère. Sa colère est descendue à une intensité de 4 sur 10 et, de ce fait, Mireille a pu trouver les mots pour exprimer ses sentiments : « Je comprends que vous faites cela pour m'aider et que vous n'êtes pas mal intentionnée, que vous le faites pour mon bien et pour le bien de ma fille. Mais, voyez-vous, lorsque vous me donnez tous ces conseils, vous m'indisposez. Dans ce contexte, pouvons-nous trouver un terrain d'entente ? »

En bref, les deux femmes ont enfin pu avoir une discussion franche, sans hostilité ni colère, où chacun pouvait expliquer calmement son point de vue.

Certains diront : « Oui, mais parfois ça ne fonctionne pas. J'ai moi-même parlé gentiment à telle personne, pour exprimer ce que je ressentais, mais ça n'a rien donné. J'ai vraiment tout essayé, en vain, et me voilà de nouveau en colère ! »

Effectivement, il y a des gens avec qui c'est plus difficile, à qui on a du mal à faire entendre raison, mais, encore une fois, tout est une question de perception. De votre côté, vous pouvez penser que telle personne n'est pas correcte, alors qu'elle-même est convaincue de se comporter correctement. C'est une question de perception, pour l'un comme pour l'autre.

Vous croiserez sans doute sur votre chemin des personnes avec qui rien ne marchera, même si vous employez les mots justes. Il faut néanmoins se poser les questions suivantes : À qui fais-je le plus de mal, lorsque je suis en colère ? Suis-je bien, quand je pète les plombs ?

On m'a rarement dit : « Moi, j'aime être en colère… » Encore une fois, précisons qu'il y a une différence entre extérioriser momentanément sa colère et échafauder constamment des scénarios qui mènent à la colère. Plus j'alimente ces idées négatives, plus la colère s'intensifie. Et personne n'est heureux dans un tel état.

À un moment donné, on a intérêt à travailler l'acceptation. On n'est pas obligé d'être d'accord avec la façon dont telle ou telle personne agit ou pense, on n'est pas obligé de croire que c'est correct, et si on a tenté de lui parler, mais que rien n'y fait, il nous reste la possibilité d'accepter la situation. D'aucuns diront : « Oui, mais certaines choses sont carrément inacceptables. » Ils ont parfaitement raison. Voyons l'exemple qui suit.

@ L'histoire de Céline

Céline était battue par son mari. Lorsque je lui parlais de la possibilité de diminuer l'intensité de sa colère, elle me disait : « C'est bien beau, mais en ce moment j'ai l'impression que tu me dis que je devrais accepter d'être battue ! »

De telles phrases montrent qu'il faut prendre garde à la façon d'interpréter le terme « acceptation ». Jamais il ne faut accepter l'inacceptable, comme se faire battre par son conjoint ou se faire injurier. Mais, à partir du moment où l'on est en mesure de gérer sa colère, d'en diminuer l'intensité, on peut prendre de meilleures décisions et passer à l'acte d'une manière plus appropriée.

Céline disait aussi que, par moments, elle avait des idées noires : « Mon Dieu, si cet homme-là pouvait disparaître de ma vie… » Elle avait même songé à le tuer. Plus elle était en colère, plus jaillissaient les idées morbides. En agissant de la sorte, Céline aurait-elle réellement réglé ses problèmes ? Son mari cesserait de la battre, puisqu'il serait mort, mais que deviendrait-elle ? Elle se retrouverait sans doute en prison. Était-elle prête à vivre avec ces conséquences ? Cela en valait-il la peine ? Était-ce la seule issue à son problème ?

En diminuant l'intensité de sa colère, Céline verrait plus clair dans sa situation et pourrait agir sensément, de manière à s'en sortir. Cela dit, l'acceptation ne signifiait pas qu'elle acceptait que son mari la batte, mais devait lui permettre d'atténuer sa colère pour pouvoir enfin se dire : « C'est fini maintenant, je ne veux plus vivre cela, je m'en vais. Je vais tenter de trouver des solutions pour assurer ma protection. Je n'ai aucun avantage à commettre un acte irréparable qui me causerait encore plus de problèmes. »

Il est important de retenir que l'acceptation ne veut pas nécessairement dire qu'on est d'accord avec les gestes commis par les autres.

En conclusion, choisissez vos batailles et apprenez à accepter certaines situations que vous ne pouvez pas changer. Le degré de satisfaction par rapport à votre vie augmentera en conséquence.

CHAPITRE 6

Diminuez votre niveau de stress

Il est prouvé que les gens heureux gèrent mieux leur stress que les autres. Non pas qu'ils n'éprouvent jamais de stress, mais ils affrontent les situations stressantes avec une certaine sérénité !

Bien que l'on ait besoin pour vivre d'une certaine quantité de stress — associé à des émotions positives, stimulantes et motivantes —, trop de stress est néfaste et a des conséquences négatives dans les différentes sphères de notre vie. Il est commun de nos jours d'entendre parler du stress associé au travail. De plus en plus de personnes se disent stressées et des termes comme « épuisement professionnel », ou « burnout », ont gagné en popularité ces dernières années. Les statistiques sont d'ailleurs alarmantes.

Ainsi, plus de 800 000 Québécois seraient au bord de l'épuisement professionnel — ils travaillent encore, mais difficilement, et montrent de graves symptômes physiques et psychologiques.

Ce n'est pas rien. On sait qu'en 2020, la première cause de retrait du marché du travail sera l'épuisement professionnel. Je vous invite donc à porter une attention particulière à la mise en situation suivante. Cela vous rappellera peut-être quelqu'un...

Certains matins, vous avez le cafard. Vous maudissez la sonnerie du réveille-matin : vous auriez tellement aimé qu'on soit samedi ! Difficilement, vous réussissez à vous tirer du lit, réalisant que vous êtes tout aussi fatigué que vous l'étiez la veille, à l'heure du coucher.

Arrivé au travail, les minutes vous semblent des heures. Une pile de dossiers vous narguent ; vous angoissez à la simple idée d'en ouvrir un. Pourquoi endurer un tel malheur ? Pourquoi rester dans un environnement qui vous gruge petit à petit ? Pour une prétendue sécurité ? Parce qu'on n'a pas le choix ?

À mon avis, on a toujours le choix, mais il n'est pas toujours facile de prendre des décisions, j'en conviens. Cependant, il n'est pas plus facile d'endurer une situation qui nous rend malheureux, stressé et fatigué.

Nous passons en moyenne de 35 à 40 heures par semaine au travail, soit environ 1800 heures par année. C'est le quart de notre vie. Mais certains sont si malheureux qu'ils sont menacés par l'épuisement professionnel, un syndrome de détresse psychologique lié au travail, à un investissement professionnel excessif et caractérisé par trois manifestations :

- une grande fatigue émotionnelle ;
- une attitude cynique et détachée envers son travail ;
- une baisse importante du sentiment d'accomplissement dans le travail.

Ainsi, l'épuisement professionnel, plus communément appelé « burnout », est un état qui nous rend, consciemment ou inconsciemment, incapable de remplir nos obligations journalières avec l'énergie et l'enthousiasme habituels. Voilà donc des indices inquiétants que l'on doit absolument prendre en considération.

Le stress est un des facteurs importants qui semblent liés à l'épuisement professionnel. Reconnaître les symptômes de ce syndrome est une chose ; savoir gérer le stress en est une autre.

Les statistiques démontrent également qu'au Québec, au moins une personne sur quatre éprouve de la détresse psychologique. La bonne nouvelle, c'est que de nombreux outils peuvent nous apprendre à mieux gérer le stress.

Nous devons d'abord comprendre que le stress (l'anxiété) est composé de deux émotions : la peur et le sentiment d'impuissance. Lorsque l'anxiété nous envahit, c'est que nous entretenons à la fois deux types d'idées :

1) Un danger ou un ennui me menace.
2) Je me sens impuissant devant cette situation.

Il convient alors de se poser deux questions :

1) Ce que j'appréhende (le danger ou l'ennui) est-il réel ou potentiellement réel ?

   Il est à noter que la réponse à cette question est souvent affirmative — sinon, à quoi servirait le stress ! Il est donc important de passer à la seconde question qui vise à diminuer ce sentiment d'impuissance qui vous rend si inconfortable. L'objectif est d'augmenter votre sentiment de confiance et votre capacité à supporter ce que vous appréhendez, même si cela peut être pénible.

2) Est-il exact que je suis plus ou moins capable d'y faire face ?

   L'idée qui sous-tend cette seconde question, selon l'approche émotivo-rationnelle, c'est que, à part notre propre mort, nous pouvons tout supporter. Un peu catégorique, penserez-vous, mais c'est la réalité. Les situations difficiles, pénibles et non souhaitables sont tout de même supportables ! En vous répétant cette idée, vous réussirez à amoindrir le sentiment d'impuissance qui vous paralyse !

Dans la majorité des cas, ces deux questions permettent d'envisager la situation différemment. Mais il est important de se rappeler que, dans 95 % des cas, ce que nous appréhendons n'arrive jamais. Ce sont des scénarios que nous alimentons sans cesse mais qui, heureusement, ne se produisent pas. Cela dit, même si ce que nous craignons arrivait, sachons que, la plupart du temps, nous disposerions des ressources pour affronter la situation.

Voici un exemple concret de l'utilité de ces deux questions.

Supposons qu'une personne est stressée à cause d'une tâche que son employeur lui a confiée. En se posant la première question (Ce que j'appréhende est-il réel ou potentiellement réel ?), elle identifie concrètement l'objet de sa peur et détermine si celle-ci est réelle. Il se peut qu'elle ait peur de ne pas pouvoir respecter l'échéance et que le danger soit réel, puisque cette personne sera à l'extérieur du bureau durant trois jours. Plutôt que de rester paralysée par le stress, cette personne a déjà une piste de solution intéressante : rencontrer son patron pour discuter des différentes priorités. Si ce n'est pas possible, la seconde question pourrait l'aider à diminuer l'impuissance qu'elle ressent.

Est-il exact d'affirmer que je suis plus ou moins capable de faire face à cette situation, c'est-à-dire le fait de ne pas respecter l'échéance ?

Évidemment, il est désagréable de ne pas respecter une échéance, toutefois personne n'en meurt. Les conséquences peuvent être fâcheuses, mais sont certainement supportables. Un discours intérieur comme celui-là est beaucoup plus réaliste. Affirmer que c'est la catastrophe, la fin du monde, et qu'il n'y aura aucun moyen de s'en sortir, c'est se prendre au piège et se rendre vulnérable au stress. En outre, quand le stress devient très intense, il est plus difficile de changer son discours intérieur. Je vous invite donc à vous exercer à changer votre discours intérieur, et cela, le plus rapidement possible, avant que l'émotion soit trop intense.

En résumé, le fait de se poser ces deux questions permet de diminuer l'intensité du stress, en considérant la situation beaucoup plus objectivement. Prenez donc l'habitude de vous poser ces questions quand vous ressentirez les premières manifestations du stress.

Maintenant, imaginez une situation stressante pour vous, sur le plan personnel ou professionnel, et utilisez cet outil pour questionner vos idées.

Exercice : Questionner ses idées

Situation : Identifiez une situation qui est pour vous une source de stress :

_____

_____

Questions :

1) Ce que j'appréhende (le danger ou l'ennui) est-il réel ou potentiellement réel ?

_____

_____

_____

_____

_____

2) Est-il exact d'affirmer que je suis plus ou moins capable d'y faire face ?

_____

_____

_____

_____

_____

Il s'agit donc simplement de remettre en question les idées qui nous causent des émotions désagréables. C'est une sorte de gymnastique mentale ! De plus, il faut savoir que l'épuisement professionnel affecte fréquemment des personnes qui n'ont pas respecté leurs priorités. On constate chez ces personnes un déséquilibre entre leurs valeurs de référence et leurs activités réelles. Autrement dit, il existe un écart important entre ce que ces gens aimeraient faire (ce qui les rendrait heureux) et ce qu'ils font concrètement. Or, il est difficile d'être pleinement heureux quand on éprouve continuellement du stress et qu'on ne respecte pas ses priorités. On peut alors avoir l'impression de négliger ce qui est important pour soi.

DES STRATÉGIES POUR DIMINUER NOTRE STRESS

Comment peut-on affronter le stress et diminuer ses effets négatifs ? En fait, chacun, selon le contexte, choisira sa propre stratégie. Certains tenteront de lâcher prise ; d'autres auront tendance à éviter et à fuir les situations stressantes. Il est certain que le fait d'adopter des attitudes préventives minimisera les effets dommageables du stress sur l'organisme.

Certaines attitudes nous aideront à reprendre un certain contrôle sur notre vie et, par conséquent, à réduire notre stress. Il s'agit de remettre en question nos idées, d'apprendre à exprimer nos besoins et à dire non ; d'accomplir une chose à la fois et de prendre le temps de rire de temps en temps pour nous détacher un peu des événements. L'humour est en effet un excellent antidote contre le stress, car il nous aide à libérer les tensions. Ces différentes attitudes vous aideront à aborder les circonstances angoissantes de manière plus décontractée.

D'autres changements simples peuvent être mis en œuvre pour remédier au stress. Par exemple :

- Planifiez votre emploi du temps pour tenir compte de la réalité — n'ayez qu'un seul agenda et limitez le nombre de choses à faire.

- L'apprentissage de la relaxation contribuera aussi à réduire votre stress. Les méthodes favorisant le retour au calme intérieur, comme le yoga, les massages ou la méditation, sont indiquées.
- La pratique d'une activité physique, à raison de deux ou trois fois par semaine, vous détendra. Il est prouvé que l'exercice stimule la sécrétion d'endorphines, des hormones tranquillisantes.
- Assurez-vous de consommer des vitamines du complexe B qui maintiennent les glandes surrénales en bonne santé, et explorez les médecines alternatives et complémentaires, comme l'homéopathie et l'acupuncture.

De plus, la notion de plaisir devrait être la pierre angulaire de toutes vos stratégies. Dès lors, le défi sera d'entreprendre des activités qui se transformeront en sources de contentement et de réconfort.

Une prise de conscience quant à votre hygiène de vie est essentielle. Le but de ce livre n'est pas de vous donner des conseils sur la nutrition, mais sachez toutefois que la santé fait partie intégrante d'une vie heureuse. Les gens qui ont une vie équilibrée ont compris l'importance de prendre soin d'eux, tant sur le plan physique que psychologique.

En outre, il n'y a pas de recette miracle pour vaincre le stress. Il suffit de vivre une vie équilibrée et d'adopter, au quotidien, des habitudes saines.

Cela dit, il existe plusieurs façons de réagir au stress. Bien que, pour chacun, l'intention de s'adapter au stress soit bonne, les manières d'y arriver ne le sont pas forcément.

Le stress peut engendrer toutes sortes de comportements néfastes: manger sans arrêt; cesser de manger; trop dormir; ne plus dormir; etc. Certaines personnes stressées se sentent constamment découragées, à plat, épuisées. On peut observer des crises de larmes, de l'apathie, de l'irritation, de la colère. Et puis il y a tous ces gens qui compenseront et sombreront dans l'excès, en faisant des achats compulsifs, en s'adonnant à l'alcool (ça décompresse), en jouant au casino, que sais-je encore. Croyez-vous vraiment que ce sont des solutions ?

Et que dire de ceux qui réclament à leur médecin des antidépresseurs, des calmants ? De nos jours, on dirait que c'est *cool* d'être « sur le Prozac » ! Mais n'allez pas croire que c'est parce que les gens sont plus dépressifs aujourd'hui. Cela semble davantage être une affaire de contexte social. Les médecins sont débordés et les gens sont à la recherche de solutions rapides, faciles et toutes faites. Bien entendu, beaucoup de médecins demeurent très consciencieux, malgré les difficultés de leur profession (pression, exigences, attentes), mais d'autres, malheureusement, ont l'ordonnance facile. Que voulez-vous, les hôpitaux sont pleins à craquer ! C'est plus facile de régler le problème comme cela. Et c'est plus efficace à court terme.

QUESTIONNONS-NOUS

Arrêtons-nous quelques secondes pour songer à l'image et aux messages que nous transmettons à nos enfants, aux générations futures, quand nous favorisons les solutions expéditives. Bien sûr, certaines pilules (pour dormir, par exemple) semblent efficaces à court terme, mais quelles sont les conséquences à long terme ? En refusant parfois de fournir tous les efforts nécessaires pour régler des problèmes complexes, nous incitons les jeunes à vouloir tout, tout de suite ! On entend souvent dire que, dans la société actuelle, on ne peut pas attendre. Pas le temps ! Tout doit être rapide ! Satisfaction immédiate ! Pensons simplement à tous ces magasins qui font crédit aux clients pour qu'ils emportent la marchandise sur-le-champ. Payez dans un an, dans deux ans ! Ces choses seront brisées ou démodées bien avant qu'on ait fini de les payer. Eh oui, on peut se procurer un lecteur DVD pour 1,67 $ par mois, pendant seulement 36 mois ! Il ne s'agit pas de blâmer qui que ce soit, mais simplement de prendre conscience de ce que révèlent nos comportements.

Dans le tableau suivant, j'ai répertorié différentes réactions face au stress ainsi que des manières de les contrer.

TABLEAU DES RÉACTIONS AU STRESS

Réactions typiques	Façons de les contrer
1. Dévalorisation de sa capacité à résoudre des problèmes.	1. Dresser la liste de ses capacités et de ses ressources. Se focaliser sur ses qualités. Répertorier ses points forts. Se poser des questions : « Lorsque j'ai dû affronter un problème, qu'ai-je fait ? Quelles sont mes aptitudes et mes qualités ? Quelles sont les ressources intérieures qui m'ont permis de résoudre ce problème ? »
2. Les discours négatifs : « Je n'y arriverai jamais » ; « Je ne suis pas bon » ; « J'ai fait une erreur, c'est l'enfer. »	2. Se focaliser sur les succès. Visualiser des souvenirs agréables, quand on était en pleine possession de ses moyens. Faire cesser ce discours intérieur continuellement négatif. Remettre en question ses croyances pour entretenir des idées plus réalistes.
3. Croire qu'une situation stressante se reproduira. Croire qu'elle sera aussi pénible.	3. Changer son discours intérieur. Adopter des pensées stimulantes. Prendre les choses une à une. Avoir confiance en ses ressources. Ce qui est passé est passé. Se persuader qu'on pourra réagir différemment si la situation se produit de nouveau.

Réactions typiques	Façons de les contrer
4. Se déconnecter du présent. Fuir la réalité. Se projeter dans l'avenir. Appréhender des choses. Ressasser des situations négatives du passé.	4. Faire l'expérience du « ici et maintenant ». Le « ici et maintenant », c'est regarder, écouter ceux qui nous entourent, prendre le temps de vivre l'instant présent, car il ne reviendra jamais. Cesser de vivre dans le passé ou dans le futur.
5. Exagérer les difficultés.	5. Relativiser l'importance des enjeux. Évaluer les conséquences réelles d'un événement appréhendé. Dédramatiser plutôt que de faire une montagne de tout et de rien. Utiliser l'échelle de la catastrophe pour y voir plus clair.
6. Se poser en victime. Donner aux autres le pouvoir de nous causer des émotions. Projeter sur les autres certaines exigences et critiques.	6. Se réapproprier son pouvoir sur soi. Se responsabiliser par rapport aux événements, aux émotions.

Notez les changements simples que vous vous engagez à mettre en œuvre pour améliorer la gestion de votre stress.

CHAPITRE 7

Respectez
vos priorités !

Parmi toutes les personnes que j'ai rencontrées et qui se disaient pleinement heureuses, il y avait un dénominateur commun : elles étaient toutes à un point de leur vie où elles se respectaient et, surtout, où elles respectaient leurs priorités.

Voici quelques statistiques intéressantes de Santé Canada.

- Selon un sondage effectué en 2010, 73 % des gens disaient avoir de la difficulté à concilier vie familiale et vie professionnelle.
- 60 % des consultations chez le médecin ont trait à des symptômes liés au stress.
- Deux personnes sur trois ont toujours l'impression de manquer de temps.
- Une personne sur trois souffrira d'épuisement professionnel au cours de sa vie.
- La majorité des médicaments les plus utilisés dans les pays occidentaux traite des problèmes directement reliés au stress : antidépresseurs, anxiolytiques, somnifères.

À la lumière de ces statistiques, bon nombre de personnes auraient intérêt à redéfinir leurs priorités.

La famille, le travail, la santé, la vie sociale, les loisirs, le développement personnel et les autres tâches quotidiennes sont autant de sphères de notre vie dans lesquelles nous pouvons investir notre temps.

Nous disposons tous de 168 heures par semaine. À nous de les utiliser selon ce qui est important pour nous, selon nos « valeurs de référence ».

Malheureusement, dans la réalité, nombre de personnes ont l'impression d'investir leur temps au mauvais endroit, ce qui leur cause une insatisfaction perpétuelle. Que faire lorsqu'on vit ce genre de situation ? Nous allons découvrir que nous aurions avantage à revoir le temps investi dans chacune des sphères, et cela, pour nous aligner sur nos priorités.

Je vous invite donc à faire l'exercice qui suit : il vous permettra de déterminer la proportion de votre temps que vous consacrez à chaque sphère de votre vie. De plus, la dernière colonne, celle de droite, vous permettra d'identifier s'il existe un écart entre ce que vous souhaitez et votre mode de vie actuel. Le cas échéant, cet écart doit être considéré comme un déséquilibre.

N'oubliez pas que la façon dont vous gérez vos priorités et votre temps influe sur le bien-être et le stress. Parce que, à l'intérieur de vous, vous aimeriez être ailleurs. Souvent, les personnes insatisfaites et malheureuses ne respectent pas leurs priorités et se sentent coincées.

PETIT EXERCICE DE RÉFLEXION SUR VOS PRIORITÉS

Imaginez que vous avez 80 ans. C'est le jour de votre anniversaire et on vous a organisé une fête surprise. Tous les gens que vous avez aimés dans votre vie se sont réunis pour vous rendre hommage. Qu'aimeriez-vous qu'ils disent de vous ? Qu'aimeriez-vous qu'ils disent à propos de votre contribution et de votre influence dans leur vie ? Quels succès et accomplissements souhaiteriez-vous qu'ils évoquent ?

Réfléchissez bien. Vous pourriez vouloir répondre : « J'aimerais qu'ils disent de moi que j'ai été présent(e) pour eux, que j'étais à leur écoute… » Mais vous avez travaillé très fort toute votre vie et n'aviez pas le temps d'être à l'écoute des autres. Ce que vous désirez ne reflète pas nécessairement la réalité ni votre comportement quotidien.

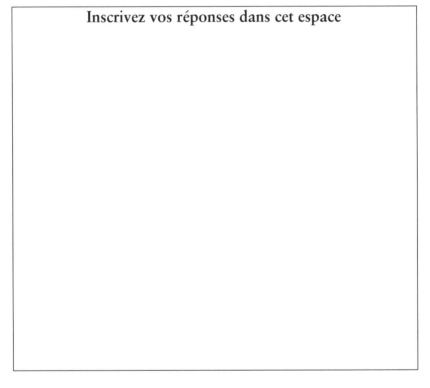

Inscrivez vos réponses dans cet espace

Que réalisez-vous à la lumière de cet exercice ?
Je me permets de transcrire ici mes propres réponses à cet exercice :

« J'aimerais que mes proches disent que j'ai été là pour eux, que j'ai été inspirante, et un bel exemple pour eux. Je voudrais qu'ils me disent que j'ai contribué à mettre du soleil dans leur vie et que ma joie de vivre était contagieuse. »

RÉPARTISSEZ VOTRE TEMPS ENTRE VOS ACTIVITÉS

Le tableau suivant est un exercice de conscientisation. Inscrivez le nombre d'heures par jour et par semaine que vous consacrez à chacune des catégories d'activités. Note: Il y a seulement 24 heures par jour et 168 heures par semaine! Notez aussi le nombre d'heures que vous *souhaiteriez* consacrer à ces activités. Il n'en tiendra qu'à vous de corriger la situation, éventuellement.

Activités	Lundi	Mardi	Mercredi	Jeudi	Vendredi	Samedi	Dimanche	Temps actuel (h/sem)	Temps souhaité
Travail									
Famille/couple									
Santé physique									
Loisirs									
Amitié									
Vie intellectuelle (lecture, formation)									
Autres									
Déplacements									
Tâches ménagères									
Prendre soin de soi									
Sommeil									
...									
...									
...									
...									
TOTAL	24 h	24 h	24 h	24 h	24 h	24 h	24 h	168 h	168 h

Quand nous nous rendons compte que l'utilisation de notre temps ne respecte pas nos priorités réelles, il est fréquent, comme on l'a dit plus tôt, d'en ressentir du stress. Quelles en sont les conséquences dans notre vie ? Nous ne pouvons pas espérer être pleinement heureux si nous éprouvons continuellement du stress et si nous ne vivons pas en adéquation avec nos priorités.

Saviez-vous que...

Le bonheur apporte le succès !

Selon de récentes recherches, le bonheur peut apporter le succès dans nos relations, dans notre vie personnelle et professionnelle — et favoriser la bonne santé. Selon les chercheurs, les gens heureux auraient tendance à poursuivre sans cesse de nouveaux buts, ce qui, la plupart du temps, leur apporte bonheur et succès.

Parce que les gens heureux sont souvent positifs, ils travaillent plus énergiquement pour atteindre leurs objectifs. Quand on se sent heureux, on a tendance à être confiant, optimiste et vigoureux ; et les autres nous trouvent aimable et sociable. Nous pouvons donc profiter des perceptions des autres.

Ces travaux, publiés dans le *Psychological Bulletin*, font état de 225 recherches sur le bonheur et le succès (impliquant 275 000 personnes) et analysent les liens entre les succès dans la vie et le bien-être.

Les auteurs de l'article ont examiné trois types de recherches : celles qui comparaient le bonheur et le succès au sein de différents groupes — « *Les gens plus heureux ont-ils plus de succès que les gens moins heureux ?* » ; celles qui étudiaient le bonheur et le succès dans le temps — « *Le bonheur précède-t-il le succès ?* » ; et celles qui cherchaient à savoir si certaines variables favorisaient le succès ou le bonheur.

Les résultats nous apprennent que le bonheur est bon pour la santé et qu'il inspire des émotions et des comportements positifs qui, souvent, apportent le succès dans le travail et dans les relations humaines.

Les gens heureux bénéficient de plusieurs caractéristiques qui les prédisposent au succès, par exemple :
- une perception positive d'eux-mêmes et des autres ;
- la créativité ;
- des comportements très sociaux (ils sont enclins à aller vers les autres) ;
- un système immunitaire fort ;
- une grande capacité à résoudre les problèmes.

Selon ces chercheurs, dans la majorité des cas, le bonheur conduirait au succès plutôt que d'en découler. Et habituellement les gens heureux auraient des relations satisfaisantes, des revenus élevés, une meilleure santé et même une espérance de vie plus longue. En outre, ils performeraient mieux au travail.

Une des études analysées portait sur les photos de collège et sur les sourires des photographiés. Ce qu'on appelle le « sourire de Duchenne[1] » est un sourire sincère qui révèle le bonheur. Les femmes arborant ce sourire sur les anciennes photos ont généralement fait un mariage plus heureux (âge moyen des femmes interrogées : 52 ans).

Une autre étude révèle que les jeunes hommes qui avaient été heureux au collège ont de meilleurs revenus 16 ans plus tard.

---

1. Du nom du neurologue français Duchenne de Boulogne (1806–1875).

CHAPITRE 8

Vivez
le moment présent

L e bonheur, c'est aussi une vie équilibrée qui nous satisfait pleinement. Toutefois, on sait que, pour ressentir moins de stress, il faut pouvoir vivre le moment présent, mais cela représente tout un défi pour certains. Combien de fois avez-vous mangé sans vraiment goûter les aliments? Combien de fois avez-vous effectué une tâche au travail ou à la maison sans véritablement y penser?

De plus, tant de gens sont passés maîtres dans l'art de se tracasser avec des événements passés ou à venir! On s'inquiète de ce qui est arrivé hier, on se dit qu'on n'aurait peut-être pas dû agir ainsi ou dire cela; ou on appréhende ce qui arrivera demain ou dans les semaines à venir. On ne vit jamais le moment présent et on finit par en être constamment angoissé — ce qui est tout à fait normal.

On m'a souvent dit: « Ça ira mieux demain! » Demain? On ne sait même pas si l'on sera encore de ce monde, demain. Vous allez me dire: « Mais oui, je serai encore là demain. » En êtes-vous si sûr?

Mark Twain disait, avec l'humour qu'on lui connaît : « J'ai connu des moments terribles dans ma vie, dont certains se sont vraiment produits. » Quelle belle phrase pour nous faire comprendre que les scénarios qu'on échafaude ne se produisent à peu près jamais !

Toutefois, personne ne peut vivre constamment dans le moment présent : je ne crois pas cela possible. Certains, avec de l'entraînement, peuvent apprendre à vivre dans le présent plus longtemps que la plupart des gens, mais il y aura toujours des moments où l'avenir nous inquiétera, où l'on pensera au passé.

Cela dit, je vous invite à faire l'exercice suivant.

Exercice : Vivre le moment présent

Aujourd'hui, tentez de vivre le moment présent, de savourer chaque instant comme si vous viviez votre dernier jour.

Pour ce faire, plusieurs fois au cours de la journée (au moins cinq fois), posez-vous la question suivante : « Suis-je en train de savourer l'instant présent ? » Vous pouvez vous aider en prenant de grandes inspirations et en vous répétant : « Je suis ici et je savoure maintenant l'instant présent. » Concentrez-vous sur chacun de vos gestes, comme si c'était la première fois que vous les exécutiez. Et redécouvrez les gens de votre entourage, comme si vous les rencontriez pour la première fois.

Vous vous rendrez compte que vous êtes souvent perdu dans vos pensées, en train de revivre ce qui s'est passé hier ou de penser à demain. Or, il est important de se focaliser sur le moment présent, ici et maintenant.

Je vous suggère maintenant un exercice extrêmement intéressant qui vous aidera à vous concentrer sur le présent.

Voici quelques questions stimulantes à vous poser le matin :
Qu'est-ce qui me rend heureux, maintenant ?

_____

_____

_____

Qu'est-ce qui m'emballe ?

_____

_____

_____

De quoi suis-je reconnaissant ?

_____

_____

_____

À l'heure actuelle, qu'est-ce que j'aime le plus de ma vie ?

_____

_____

_____

Voici quelques questions à se poser le soir :
Qu'est-ce que j'ai donné aujourd'hui ?

_____

_____

_____

_____

Qu'est-ce que j'ai appris aujourd'hui ?

_____

_____

_____

_____

En quoi cette journée a-t-elle contribué à améliorer la qualité de ma vie ?

_____

_____

_____

_____

Ces questions vous aideront non seulement à être dans le moment présent, mais aussi à prendre conscience de tout ce dont vous devez être reconnaissant à la vie.

La reconnaissance, que certains appellent gratitude, aide à amplifier le sentiment de bonheur. On met alors l'accent sur le positif de notre vie plutôt que sur ce qui va moins bien !

SAVIEZ-VOUS QUE...

L'anticipation du plaisir nous rend plus heureux !
Apprenez à prolonger votre plaisir !

Pourquoi est-il si difficile de vivre le moment présent ? Pourquoi notre cerveau s'acharne-t-il à nous projeter dans le futur ou à nous faire retourner dans le passé, alors qu'il y a tant de choses à faire aujourd'hui ?

Nous pourrions croire que c'est parce qu'il est agréable de penser à l'avenir ou de ressasser nos bons souvenirs. Nous rêvons d'un avenir doré où nous n'aurions plus à nous soucier de l'argent, où notre retraite serait si agréable ! Nous nous remémorons notre mariage ou une promotion que nous avons eue il y a quelques années. Malheureusement, certaines personnes ont plutôt tendance à appréhender le futur et à regretter le passé. Nous nous inquiétons de ce qui pourrait arriver ou nous ruminons le passé — sachant toutefois que nous ne pouvons pas changer le passé.

Quand on demande aux gens s'ils ont l'habitude de penser plus souvent au passé, au présent ou au futur, ils répondent : « À l'avenir. » En effet, des chercheurs ont découvert que presque 12 % de nos pensées quotidiennes sont dirigées vers l'avenir. D'autres études scientifiques démontrent que, lorsqu'elles rêvent à l'avenir, certaines personnes s'imaginent heureuses et satisfaites.

Par exemple, des chercheurs ont annoncé à des gens qu'ils avaient gagné un repas dans un restaurant de leur choix. Lorsqu'on leur a demandé s'ils désiraient prendre ce repas immédiatement, plus tard ce soir-là, le lendemain ou une semaine plus tard, la majorité a répondu : « La semaine prochaine. » Pourquoi ? Parce que ces gens prendraient plaisir, toute une semaine durant, à imaginer cet agréable repas au restaurant. Ainsi, le plaisir ne durerait pas que quelques heures, mais sept jours.

Anticiper le plaisir est une stratégie qui nous permet d'avoir deux fois plus de plaisir.

Ma mère me racontait récemment que, lorsque j'étais petite et que nous habitions à l'extérieur de la ville, nous visitions ma grand-mère paternelle une fin de semaine sur deux. Ma grand-mère disait toujours : « Comme je suis comblée lorsque je sais que vous venez ! J'ai hâte de vous voir, je me prépare à vous accueillir et je me réjouis simplement à penser à votre arrivée. Quand enfin vous êtes là, je vis des moments merveilleux en votre compagnie et, une fois que vous êtes partis, j'en ai pour plusieurs jours à me remémorer ces belles journées. Et je me prépare déjà pour votre prochaine visite. J'ai déjà hâte de vous revoir ! »

Ai-je besoin de vous dire combien cette femme était heureuse ? Il faut avouer qu'elle avait le don de se rendre heureuse.

Source : Adapté du livre *Et si le bonheur vous tombait dessus*, de Daniel Todd Gilbert.

CHAPITRE 9

Clarifiez
vos objectifs !

Les personnes heureuses ont une vision claire de ce qu'elles veulent. Elles se focalisent sur les bonnes choses et ont appris à poursuivre efficacement leurs objectifs. Toutefois, un objectif est insuffisant : pour qu'il se réalise, on doit le formuler adéquatement.

Combien de personnes se fixent des objectifs sans jamais les atteindre ? Combien de fois décidons-nous de nous prendre en main, que ce soit sur le plan de notre santé (faire plus d'exercice, perdre quelques kilos, etc.) ou de la qualité de nos relations (passer plus de temps en famille), ou pour toute autre raison, pour constater peu après que le naturel revient au galop ?

Nous réalisons parfois que nous sommes en train de passer à côté de nos aspirations, de nos rêves, de notre mission, du bonheur ! Il faut alors se poser quelques questions fondamentales :

- Que voulez-vous exactement dans votre vie ?
- Quelles sont vos priorités ?
- Que désirez-vous accomplir ?

- Avez-vous des rêves ?
- Avez-vous des projets ?
- Ces objectifs sont-ils vraiment les vôtres ou vous ont-ils été imposés par un parent ? (Par exemple : « Je suis devenu comptable, parce que mon père voulait que je le sois, comme lui. »)
- Vos rêves vous appartiennent-ils réellement ?

Combien de fois entendons-nous : « Je n'aime pas mon travail, mais je n'ai pas le choix. Je travaille pour cette entreprise depuis 15 ans, et je pourrai prendre ma retraite dans 10 ans, alors je vais endurer. »

C'est triste. Mais si, à la vérité, vous aviez le choix ? Évidemment, ce n'est pas une décision facile, qu'on peut prendre du jour au lendemain, mais il y a moyen de planifier les choses. Assurément, nous avons toujours le choix. Encore faut-il se doter des outils qui nous permettent d'agir. La première question à se poser est : « Qu'est-ce que je veux vraiment ? »

Nous pensons toujours, à tort, que nous aurons du temps plus tard. Nous vivons comme si nous étions éternels, mais la réalité est tout autre. Êtes-vous sûr que vous serez encore là demain pour dire à vos parents ou à vos enfants que vous les aimez ? Pour les épauler ? Personne ne sait. Nous souhaitons tous vivre le plus longtemps possible, mais la vie tout autant que la mort demeurent un grand mystère.

Maintenant, reposez-vous cette question : « Qu'aimerais-je entendre de mon entourage à mon sujet ? » Fixez-vous dès aujourd'hui des objectifs pour vivre enfin la vie à laquelle vous aspirez.

L'exercice qui suit comporte des questions qui vous permettront de respecter les critères d'un objectif formulé adéquatement, de façon positive (précisez ce que vous voulez, plutôt que ce que vous ne voulez pas) et spécifique (précisez le contexte : Quoi ? Quand ? Comment ?). Il est important d'utiliser des mesures quantifiables plutôt que qualitatives.

Par exemple, je veux prendre du temps pour moi. Combien de temps, exactement ? Soyez précis. Plus votre objectif sera spécifique, plus vous l'atteindrez aisément ! De plus, la réalisation de votre objectif doit dépendre de vous. Et prévoyez même les embûches, de manière à trouver des solutions à l'avance ! Il est également important que la formulation et l'atteinte de votre objectif respectent votre environnement — travail, famille, amis, etc. Par exemple, une mère de famille qui pourrait devoir déménager pour mener à bien ses objectifs professionnels doit tenir compte des conséquences de ce déménagement sur ses enfants. Elle devra trouver une solution pour réaliser son rêve sans leur nuire.

Exercice : Se fixer un objectif

1. Qu'est-ce que je veux ? (Soyez spécifique : où, quand, comment, combien, etc.)

_____

_____

_____

2. Comment vais-je savoir que mon objectif est atteint ? Qu'est-ce qui sera différent ?

_____

_____

_____

3. Quels sont les avantages pour moi et pour mon entourage ?

_____

_____

_____

4. Y a-t-il des inconvénients à l'atteinte de mon objectif, pour moi ou mon entourage ? Si oui, quelles seraient les solutions ?

_____

_____

_____

5. Si je ne change rien à ma situation actuelle, que risque-t-il de se produire ?

_____

_____

_____

6. De quelles ressources (forces, qualités, personnes, etc.) ai-je besoin pour atteindre mon objectif ?

_____

_____

_____

7. Quelles sont les étapes à franchir pour atteindre mon objectif avec plaisir ?

_____

_____

_____

8. Quelle est la <u>première</u> étape ?

_____

_____

_____

Le bonheur et le succès passent par l'action !

Nous éprouvons du regret quand nous nous sentons responsable d'une issue malheureuse que nous aurions pu éviter si nous avions agi différemment. Nous cherchons évidemment à esquiver cette émotion désagréable.

Il existe plusieurs théories sur ce qui nous pousse au regret, et ces théories peuvent nous aider à écarter ce sentiment. Par exemple, on s'imagine avoir plus de regrets si l'on découvre qu'il y avait un autre choix possible. On croit qu'on sera plus déçu si l'on a accepté un mauvais conseil que si on en a repoussé un bon. Si nous faisions un mauvais choix qui est insolite, nous croyons que nous aurions plus de regrets que si ce choix avait été conventionnel. Nous pensons aussi que nous serons davantage déçus si nous échouons de peu que si nous échouons de beaucoup.

Seulement, parfois, nos théories sont fausses. Les recherches prouvent par exemple que 9 personnes sur 10 éprouveront plus de regrets d'avoir investi leurs économies à la Bourse plutôt que de les avoir laissées où elles étaient, parce que 9 personnes sur 10 croient qu'elles regretteront d'avoir fait quelque chose au lieu de ne rien faire. Cependant, les recherches nous apprennent aussi que 9 personnes sur 10 se trompent. En effet, à long terme, peu importe notre âge ou notre appartenance sociale, nous regrettons davantage ce que nous n'avons pas fait que ce que nous avons fait.

C'est pourquoi les regrets les plus répandus sont : ne pas avoir fait d'études ; ne pas avoir saisi certaines occasions professionnelles ; et ne pas avoir passé assez de temps avec sa famille et ses amis.

Comment expliquer que nous regrettons plus nos inactions que nos actions ?

Il semble qu'il soit plus facile pour le système immunitaire psychologique de se forger la vision positive d'une action que d'une inaction. Si notre action nous a fait épouser un tueur en série, on peut toujours se réconforter en pensant à tout ce qu'on a appris de cette expérience. Mais, lorsque notre inaction nous a empêché d'épouser quelqu'un qui, plus tard, devient célèbre et adulé, nous ne pouvons pas nous consoler de notre déception en repensant à toutes les choses apprises, car nous n'avons rien appris du tout.

Morale de ces études : Ne restons pas prisonnier de notre inaction. Osons !

Source : Adapté du livre *Et si le bonheur vous tombait dessus*, de Daniel Todd Gilbert.

Conclusion

Avant de terminer ce livre, je tiens à vous offrir un dernier outil qui sert à tester votre aptitude à réussir votre vie. Je vous invite à répondre aux 50 questions suivantes et à identifier les habitudes et comportements qui vous rapprochent du bonheur et du succès.

TESTEZ VOTRE APTITUDE AU BONHEUR ET AU SUCCÈS !

Le succès et le bonheur sont des aptitudes que nous pouvons tous développer, vous le savez maintenant.

Grâce à ce test, évaluez votre aptitude au succès et au bonheur. Sachez que vos croyances peuvent vous aider ou vous nuire dans cette quête.

Répondez par OUI ou par NON aux 50 propositions suivantes.

1	J'ai l'habitude de me fixer des objectifs (buts).	
2	J'ai développé une stratégie personnelle pour atteindre mes buts.	
3	La plupart du temps, j'obtiens ce que je veux lorsque je me fixe un objectif.	
4	Je divise mes objectifs en étapes, de manière à optimiser mes chances de succès.	

5	Je crois que l'éducation que j'ai reçue m'aide à atteindre le succès.	
6	Je suis capable d'identifier mes forces et mes points à améliorer.	
7	Je pense que je suis entièrement responsable de ce qui m'arrive.	
8	J'ai déjà identifié les gens autour de moi qui peuvent m'aider.	
9	J'ai un (des) mentor(s) qui peut (peuvent) me guider dans mon évolution, sur le plan personnel ou professionnel.	
10	Je sais à qui je peux parler de mes buts. Ces gens m'encourageront au lieu de me démotiver.	
11	Je crois que mon passé n'influence pas ma propension à atteindre le succès.	
12	Mes parents m'ont appris à développer une attitude positive.	
13	Mes parents avaient une attitude positive.	
14	J'ai appris à gérer mes émotions.	
15	Je connais mes priorités.	
16	J'ai l'habitude de me focaliser sur ce que je fais de bien plutôt que sur mes faiblesses.	
17	J'ai confiance en moi et en mes capacités.	
18	J'ai appris à ne pas être trop impitoyable envers moi-même.	
19	Je sais que les gens qui ont du succès ne sont pas nécessairement plus chanceux que les autres.	
20	Je cherche constamment à améliorer mes réalisations.	
21	Je crois que le succès n'est pas génétique.	
22	J'ai de la facilité à faire de la visualisation.	
23	Je me considère comme une personne déterminée.	
24	Je suis capable d'identifier 50 succès de ma vie (même les plus modestes).	
25	Ce qui m'arrive dépend des actes que je fais ou non.	
26	Mon passé a peu d'influence sur mon succès actuel.	

27	J'ai toujours su que j'étais destiné au succès.	
28	Peu importe ce qui m'arrive, je pourrai toujours m'en sortir et trouver une solution.	
29	Prendre soin de ma santé est un élément important pour moi.	
30	Je lis souvent des livres qui traitent du succès et de la croissance personnelle.	
31	Je connais plusieurs trucs qui m'aident à relaxer et à me changer les idées.	
32	J'ai l'habitude de dédramatiser ce qui m'arrive au quotidien.	
33	J'ai souvent recours à ces phrases : « Ce n'est pas si grave que ça ! » ; « Ç'aurait pu être pire ! » « Ce n'est pas la fin du monde ! », etc.	
34	Je crois que les gens qui ont du succès ont avant tout une bonne attitude.	
35	J'ai pris l'habitude d'être reconnaissant envers la vie. J'apprécie ce que j'ai.	
36	Je sais savourer le moment présent.	
37	Chaque jour, j'essaie de mettre le plus de plaisir possible dans ma vie.	
38	Je crois énormément en moi.	
39	Je tente d'éviter les gens négatifs.	
40	Je serais capable de ne plus fréquenter quelqu'un qui ne m'apporterait que du négatif (y compris les membres de ma famille).	
41	Je suis capable de rire de moi-même.	
42	Je suis heureux(se) dans ma vie de couple (ou dans mon célibat).	
43	Je suis conscient que le fait de blâmer les autres pour ce qui m'arrive n'est ni utile ni avantageux.	
44	Je déjà pris l'initiative d'arrêter de blâmer les autres pour ce qui m'arrive.	
45	Je suis pleinement heureux(se) sur le plan professionnel.	

46	Je côtoie des gens qui ont du succès.	
47	Je peux vous donner ma propre définition du mot « succès ».	
48	Je me motive facilement à accomplir mes tâches (même les plus ennuyeuses).	
49	Je suis né(e) sous une bonne étoile, j'en suis sûr(e).	
50	Je crois que chacun fait sa propre chance.	

Pour chaque « oui », comptez un point. Les réponses négatives ne valent aucun point.

RÉSULTATS

45 et +

Vous êtes assurément une personne qui entretient les croyances qui mènent au succès. Votre façon de voir la vie vous a certainement valu beaucoup de succès dans vos réalisations. Maintenant, relisez les propositions auxquelles vous avez répondu non et demandez-vous ce que vous pourriez faire pour y répondre oui à l'avenir. La seule question où aucun changement n'est possible est celle relative aux parents (numéro 13). On ne peut changer ses parents, mais on peut changer sa façon de percevoir l'éducation qu'on a reçue.

35 à 44

Plusieurs croyances très positives vous aident dans votre poursuite du succès. Vous auriez cependant avantage à en développer d'autres. Relisez les propositions auxquelles vous avez répondu non et demandez-vous ce que vous pourriez faire pour y répondre oui à l'avenir. La seule question où aucun changement n'est possible est celle relative aux parents (numéro 13). On ne peut changer ses parents, mais on peut changer sa façon de percevoir l'éducation qu'on a reçue.

34 et −

Certaines de vos croyances peuvent vous empêcher d'atteindre le succès que vous souhaitez. Toutefois, sachez que vous pouvez décider dès aujourd'hui de changer ces croyances. Relisez les propositions auxquelles vous avez répondu non et demandez-vous ce que vous pourriez faire pour y répondre oui à l'avenir. La seule question où aucun changement n'est possible est celle relative aux parents (numéro 13). On ne peut changer ses parents, mais on peut changer sa façon de percevoir l'éducation qu'on a reçue.

Un dernier mot

Quel plaisir pour moi de vous livrer ces neuf clés d'une vie réussie ! Je réalise que, depuis des années, je parle continuellement du succès et du bonheur dans mes conférences ou avec mes clients en psychothérapie. Et j'écris souvent sur ce sujet dans les journaux. Le fait de me focaliser là-dessus me permet d'améliorer sans cesse ma propre vie. Je vous invite donc à lire et à relire cet ouvrage, mais aussi tous les livres qui traitent de ce sujet. Si parfois certains concepts se recoupent, c'est parce que chaque auteur apporte sa saveur et son point de vue. Et sachez que l'apprentissage passe par la répétition. Plus vous lirez sur le sujet, plus vous deviendrez apte à vivre pleinement cet état de bonheur.

Bon succès dans votre quête d'une vie réussie.

Stéphanie Milot

Chronique du succès

Abonnez-vous gratuitement à ma *Chronique du succès* via mon site Web. Vous recevrez mensuellement une capsule vidéo vous proposant plusieurs outils pour continuer votre cheminement personnel vers une vie meilleure, et vous serez au courant des conférences publiques données dans votre région. Au plaisir de vous y rencontrer !

Conférence «Reprenez le contrôle de votre vie!»

Ma toute dernière conférence vous offre des outils efficaces pour augmenter votre succès personnel et professionnel. Voici un aperçu des thématiques abordées:

- Quels sont les motifs qui nous poussent à l'action pour améliorer notre vie.
- Comment notre génétique détermine nos succès et nos insuccès.
- Identifier les comportements et les habitudes qui nous éloignent ou nous rapprochent du succès.
- Quelles sont nos croyances antisuccès et celles qui nous dynamisent.
- Quels sont les dénominateurs communs des gens qui contrôlent leur vie.
- Comment modéliser l'excellence pour augmenter notre succès personnel et professionnel
- Tester nos aptitudes au succès.
- Revoir nos priorités pour atteindre nos objectifs professionnels et personnels.
- Utiliser le pouvoir de notre physiologie pour atteindre le succès.
- Exploiter la puissance du conditionnement neuro-associatif pour changer instantanément notre état d'esprit.

- Faire preuve de leadership dans la manière de guider notre propre vie.
- Utiliser intelligemment nos émotions pour maîtriser notre vie.

Obtenez plus d'information et renseignez-vous sur les autres séminaires offerts en consultant le site Internet www.stephaniemilot.com

Bibliographie

Livres

BOURRE, Jean-Marie. *Les aliments de l'intelligence et du plaisir*, Éditions Odile Jacob, 2001.

BRETON, Marie, et Isabelle ÉMOND. *À table, les enfants!*, Éditions Flammarion Québec, 2005.

BRETON, Marie, et Isabelle ÉMOND. *Boîte à lunch emballante*, Éditions Flammarion Québec, 2001.

GILBERT, Daniel Todd, *Et si le bonheur vous tombait dessus*, Éditions Robert Laffont, 2007.

GOLEMAN, Daniel. *L'intelligence émotionnelle tome 2: Cultiver ses émotions pour s'épanouir dans son travail*, Éditions Robert Laffont, 1999.

GOTTMAN, John M., et Nan SILVER. *Les couples heureux ont leurs secrets. Les sept lois de la réussite*, Éditions JC Lattès, 2000.

HALPERN, Howard. *Choisir qui on aime*, Les Éditions de l'Homme, 2006.

KASSER, Tim. *The High Price of Materialism*, The MIT Press, 2002.

MANDEVILLE, Lucie. *Le bonheur extraordinaire des gens ordinaires*, Les Éditions de l'Homme, 2010.

MANDEVILLE, Lucie. *Soyez heureux sans effort, sans douleur, sans vous casser la tête*, Les Éditions de l'Homme, 2012.

MCGRAW, Phillip C. Couple. *La formule du succès*, Éditions Marabout, 2007.

MITCHELL, W. *It's not what happens to you, it's what you do about it*, 1997.

MORENCY, Pierre. *Le cycle de rinçage*, Transcontinental, 2006.

MORGAN, Michèle. *Pourquoi pas le bonheur?*, Éditions Le Dauphin blanc, 2006.

ROBBINS, Anthony. *L'éveil de votre puissance intérieure*, Le Jour Éditeur. 1993.

ROIZEN, Michael F. *RealAge*, HarperCollins, 1999.

En ligne

www.psychomedia.qc.ca

www.dsp.santemontreal.qc.ca

Table des matières

Suivez-nous sur le Web

Consultez nos sites Internet et inscrivez-vous à l'infolettre pour rester informé
en tout temps de nos publications et de nos concours en ligne. Et croisez aussi
vos auteurs préférés et notre équipe sur nos blogues!

EDITIONS-HOMME.COM
EDITIONS-JOUR.COM
EDITIONS-PETITHOMME.COM
EDITIONS-LAGRIFFE.COM

Marquis imprimeur inc.

Québec, Canada
2012

Achevé d'imprimer au Canada